文春文庫

だれかのいとしいひと

角田光代

だれかのいとしいひと　目次

だれかのいとしいひと

転校生の会

その会合に、あたしは半年くらい通ったことになる。

会合の名前は、「全国転校生友の会」と言う。その名前を、たまたまその日に買った学生新聞の片隅に見つけて、ものすごく不思議な素直さで、いこう、と思ったのだった。あやしい会かもしれないとか、宗教がからんでいるかもしれないとか、そんなことをそのときのあたしはいっさい考えなかった。チョコレートを食べすぎると鼻血が出るんだよ、と幼稚園生のときに言われて、それをまっすぐに信じてチヨコレートをけっして食べすぎなかったように、つまりそんなような素直さで、ああ、転校生の会か、いろんな転校生がいるんだろうな、いってみよう、と思ったのだ。

本当のことを言えば下心があったにはあった。だってあたしは一度だって転校なんかしたことがないのだ。大勢の友達と一緒に地元の小学校から地元の中学に進み、半分ほどの友達とともに隣の町の高校に進んだ。転校について考えたこともないあたしが、いくらなんでも転校生の会に理由なくいくはずがない。

あたしはそのとき失恋したばかりだった。一年つきあった川原新造に、もう会わない、と言われていた。そして川原新造は本人の語るところによれば転校をくりかえしたこどもだったらしい。デートの最中、映画館へと続く行列で、ファストフードの窓際の席で、晴れた日の川縁で、すいたバスのうしろの席で、あたしは何度も彼から転校がテーマの話を聞いた。

川原新造は多くの転校経験者と同じく、転校を、あんまりいいことと思っていないみたいだった。

「宣告は急にくるんだ」と、眉間にしわを寄せて彼は言った。「その宣告は絶対的なもので、いわば神様の決定と同じで、そこに、こちらの意思とか感情とかの入る余地はまったく、一ミリも、ひびすらもないんだ」

かつて川縁を歩きながら彼の話を聞き、あたしは今までに、そんな宣告を受けたことがあっただろうかと考えた。しかしすぐにそんなことはどうでもよくなってしまうのだった。つまり、今までの人生で、決定的な宣告を受けたことがあるかないかを考えるより、川原新造の、食べものみたいに白い頬や、くっきり三本額《ひたい》にできる縦皺なんかを見つめているほうが、あたしには重要なことだった。

「そうしてあたふたと荷造りをして、お別れ会をして、なじんできたばかりの町をあとにして、知らない場所へ向かうんだ。お別れ会っていうのもね、最初は、みんななんてやさしいんだと思うんだ、こんなに仲よくなったみんなと離れなければならないなんてって、胸がひきちぎられるような思い。でもね幾度もくりかえしているうち、だんだんその芝居じみ加減のほうが鼻についちゃって、それでまた自己嫌悪」

　喫茶店で向かい合ってそんな話を聞きながら、もしあたしがそのお別れ会にいたら、彼が芝居なんて言葉を思いつかないくらい、半狂乱になって泣いたかもしれないと思った。

「新しい学校にいくだろ、そこで一番大事なことは、嫌われないこと。それだけと言っても過言じゃないんだ。目立たなくていいし、優秀じゃなくていいし、なじむ、慣れるっていうのも二の次、絶対に、絶対に嫌われないようにするんだ。だってまたいつ急にそこを出ていくかわからないだろ、本当の自分を見せて仲よくする必要なんかないんだ、だからとにかく嫌われないこと。そうしつつも、なめられてはいけないからそこそこはったりをかまさなくちゃいけないし、おたがいなじんでいくための、気遣いも必要になってくるわけ。そんなことをしていると、本当に、自分がいったいどんな性格だったのか、まったくわからなくなっちゃうんだぜ」

レイト・ショーを観るために並んだ行列で、寒さのためにぴったりとくっついて、それでも小刻みに体をゆらし、あたしたちの吐く息はおんなじに白かった。

いろんな場所で川原新造はそんな話をし、そうしてかならずしめくくりに、こう言うのだった。

「転校を経験したやつとしないやつじゃ、決定的に何かが違う。ぼくが言っていることを、絶対にきみは、感覚的に理解できないと思う。それがいいことだとか悪いことだとかっていうんじゃなくて」

それを聞くたびあたしはひどくかなしい気分になった。とくに、「絶対に」という部分がかなしかった。この世のなかに絶対ということがあって、その絶対があたしと川原新造をへだてるために存在していると告げられているようでかなしかった。

川原新造があたしと会うのをもうやめたい、と言ったのはつきあいだしてちょう

ど一年目で、その理由を訊いてもなかなか答えてくれなかったのだが、しつこくしつこくくいさがって訊くと、彼は、

「病気なのかもしれないいんだけど」

と小さな声で前置きして、言いにくそうに、ずいぶん長い時間をかけて、「一人の女の子とずっといると息苦しくなってきて一年が限度」と告白した。彼の分析によるとそれは、たび重なる引っ越しと転校が彼におよぼした悪影響みたいなもので、ある場所にずっといると落ち着かなくなってじりじりしてくる、今か今かと宣告を待つような、拷問に近い気分になり、女の子もそういう意味で彼にとっては場所とおんなじ位置づけである。らしかった。

「冗談じゃない」あたしは彼と一緒にいてはじめて声をあらげた。まったく、冗談じゃない。そんな理由でわかれてたまるものかと思った。しかし彼は自分の言うことを曲げなかった。線路沿いに位置する彼の小さなアパートで、冗談じゃない、とあたしは言い続け、ごめんなさい、でもどうしようもできない、と彼はあやまり続け、空が白んできて夜が明け、からすがごみを捜して鳴きわめき、あたしたちはへとへとに疲れて、そのまんまわかれた。

本当のことを言うと、どうでもいいや、と思っていた。あたしは一本主義（というのは友達のさえちゃんが教えてくれた言葉で、生涯一人の男しか愛さない主義という意味だそうだ）ではないし、川原新造の血の気が引いたような白い顔や神経質そうな額の皺を愛してはいたけれど、彼の引っ越し恋人理論はとうてい理解できるはずもなく、そんな馬鹿げた話につきあう気もなかった。あきらめはいいほうなのだ。

でも、もう彼と会うこともないんだと思うとき、あたしはいつも「絶対」という言葉を思い出した。彼の使った、あたしたちを決定的にへだてる言葉、「絶対」。そんなことがあるのだろうかと、思わずにはいられなかった。これが巷《ちまた》で言う未練なのかもしれないけれど、あたしは「絶対」をどうしても受け入れたくはなかった。

そんなわけで、学生新聞の隅にのっていた「全国転校生友の会」が催される日時と場所をメモし、出かけていったのだった。

転校生の会は一か月に三、四度の割合で、都内のいろんな場所で催されていた。あたしが最初にいったのはまだコートの必要もないくらいあたたかい秋の日で、場所はあたしの通う大学にわりあい近い私鉄駅の、区民会館の一室だった。その私鉄駅にははじめておりた。駅も町も、駅から三分ほど歩く区民会館も真新しく、まるで昨日までなかったのに朝になったら突然町ができあがっていたみたいだ。そんな奇妙な印象を抱いたのを覚えている。

会が行われる会議室Cの前には受付があって、あたしはそこで自分の名前を言い、会費を払い（会費は五百円だった、お茶とお菓子代だそうである）、受付の女の人にもらったアンケート用紙にいろいろと記入して（年齢や住所、転校経験について）、会議室Cへ入った。白くて広い無機質な部屋の真ん中に、レジャーシートが敷いてあって、座ぶとんが何枚か投げ出してあり、四、五人が座っていた。あたしも空いている座ぶとんに座った。

八人くらい人数が集まったところで、「全国転校生友の会」ははじめられた。いったい何がどんなふうにはじまるのかとあたしはどきどきしてそこにいた。平日の昼間だったのに、背広を着た男の人もいたし、どう見たって小学生の女の子もいて、茶色い髪をうしろで結《ゆ》わいた鼻ピアスの男も、それから、大根の葉のはみでた買い物袋が似合いそうなおばさんもいた。みんなコーヒーとドーナツを前にして、レジャーシートの上のうすべったい座ぶとんに座っていた。受付にいた女の人がはじめての参加者だと言ってあたしともうひとりを紹介し、その会合の趣旨を簡単に説明した。

私たちは転校ということについて一度じっくり考える機会を持ちたいとつねづね思っているものの集まりであって、この会は強制もなく義務もない、また会自体の明確な目的があるわけでもない。会に参加していくうち、自分と転校について何か理解できたのならいつこなくなってもかまわず、また、ここへきたからといって何かしゃべらなければならないということもない。

「要するに、元転校生たちのお茶会みたいなものよね」

受付にいた女の人——山中さんという名前だとあとで知った——の説明を遮るようにして、大根の葉の似合うおばさんが言い、

「元じゃない、現役だっている」

小学生にしか見えない女の子がおとなびた口調で言った。

「あなたがたもきっと転校という言葉を聞いて何か思うところがあってここへいらしたのでしょう」集まった人々のなかで一番年長と思われる、初老の男がのんびりした口調で言い、はじめての参加者と紹介されたあたしたち二人を見る。「私もそ

うです、いや実際、自分が転校したことすら忘れて大人になっていった人もいるんだろうが、転校というそのことが、自分でも思わぬうちに深く人生に関わっていることもある。いや、関わっていそうで関わっていなかった、と気づくこともある。どちらにしてもだね」

この初老の男は話の長い人かもしれないと思いかけたとき、あたしの隣にいた、銀縁の眼鏡をかけて髪をひっつめにしたおばさんが突然話しはじめた。

「わたしね、先月夫が出張になりまして、その出張先が本当に偶然、O県のNという町、わたしが小学校四年のときに転校していった町でした。これはもうわたしもいかなければならないと思って、迷惑がられましたけどくっついていってまいりました。その町は四年から六年まで、三年いまして、ただその町の小学校で卒業をしたものですから、ほかの町より少しばかり記憶が濃いんですね」

ひっつめおばさんは言いながら、バッグから何かを取り出して広げた。写真屋でくれる、薄っぺらいアルバムだった。二冊あった。彼女は二冊を広げて、あたしたちにまわしながら話を続けた。彼女がその町を訪れたのはその卒業以来であり、町も小学校もずいぶんかわっていた、しかし、小学校のはす向かいにうどん屋がありそのうどん屋だけは当時とそっくり同じ風情で、それを見た途端、まるでそのうどん屋が何かのスイッチであったかのように、記憶のなかの町と今そこにある風景とがぴったり重なりはじめた、らしかった。音をたてて、フルスピードで。

あたしはまわされてきたアルバムの写真を見た。どこにでもありそうな、駐車場や路地裏や商店街や石段が写っていた。あたしはこの、なんの変哲もない町のあちこちを、こどものころのひっつめおばさんがいったりきたりしているところを想像してみたが、想像のなかで、こどもはおばさんではなく川原新造になっていた。

「わたしはそこに立っている自分が十歳なのか三十八歳なのか、二十歳なのか三十歳なのかまったくわからなくなって、そのまま、無遠慮にも小学校に入っていって、気がついたら職員室で、手の空いていた職員のかたに卒業アルバムを見せてもらっていました。そうしたら驚いたことに、あったんです、わたしの卒業した年のアルバム。わたし、持っていなかったんですね、卒業式のすぐあとにあたふたと引っ越しましたから。わたしはちゃんとそこに、三十六人の同級生たちと一緒に写っていて」

ひっつめおばさんはそこで言葉を切った。泣いていたりして、と茶化すように思

ってちらりと見ると彼女は本当に泣いていた。ハンカチを目頭にあて、ふたたび顔をあげ、

「わたしの知りたかったことはこういうことだったんだって気づいたんです。わたしが連続して存在していたこと。十歳のわたしと十五のわたしと二十三のわたしが、いいえ、もっとこまかく、あの一瞬一瞬のわたしが全部連続した存在として、今のわたしにつながっているんだってことを、きちんと知りたかったんですね。それでわたし本当に心が安らかになったというんですか」

会議室Cは静まりかえった。ひっつめおばさんが鼻をすすりあげる音だけがひそやかに続いた。間違ったところにきたのかもしれないと、そのときになってあたしははじめて思った。みんな輪になって泣き出したりするのかもしれない。転校をくりかえしてきたあたしたちはひとつね、なんて言って、肩を抱いて歌をうたいだすのかもしれない。そんなことになったらどうしよう。と、びくびくしながら、隣のひっつめおばさんのすすり泣きを聞いていたのだけれど、だれも泣き出さなかったし、肩を組みそうにもなかった。小学生の女の子はドーナツを食べていて、背広姿の男の人はノートに何かメモしていた。あたしは顔をあげて、ちょうど向かいにあ

る、会議室の大きな窓を眺めた。

無機質な部屋にはそぐわない大きな窓で、金色の午後の光がたっぷりと部屋に入りこんでいた。窓の外には銀杏の木があった。みっしりついた葉は緑と黄の二色が複雑に混じりあっていた。十歳のわたしと十五のわたしと二十三のわたしが連続した存在として今のわたしにつながっている。窓の外の銀杏の葉がちらちら光るのを眺めながら、あたしはひっつめおばさんの言葉を心のなかでくりかえした。

「あの」背広の男が声を出した。「では牧原さん、こないだご主人のことを言っていたけれど、あの問題は解決したのですか、つまりその、そう気づくことによって」

質問もアリらしかった。あの問題ってなんだろう、あたしは下世話な心で考えた。

「解決というほどのことではないけれど、それでもね、少しは楽になりました。だってわたしはひとりですから。O県に住んでいたわたしもY県にいたわたしも、夫と今一緒にいるわたしも、たったひとりなのですからね」

あたしたちはドーナツを食べ、コーヒーを飲み、それからしばらく雑談をした。ひっつめおばさんの話のあとは彼女のように経験談を話す人はいなくて、ただ、天気のこととか、飼っている犬のこととか、観るつもりの映画のことなんかについて、ぽつぽつとだれかしらがしゃべった。歌もうたわず、みんなで泣きもせず、ローンを組まされることも壺を買わされることも神と宇宙について聞かされることもなく、二時間ほどでその日はおひらきになった。帰りがけ、山中さんが次回の集合場所と日時について説明していた。次回の場所は、去年川原新造とデートした、都心から少しはずれた場所にある大きな公園だった。

本格的な冬がはじまる前の、あたたかい日の会合はときおり屋外で開かれた。会合はいつもひっそりと、なごやかに、奇妙なピクニックのように行われた。毎回だれかが自分の転校経験や、最初のときの牧原さんみたいな話をして、質問があったり、意見の交換があったりして、その後、話題がなくなると無駄話をした。あたしは転校経験などなかったし、それがばれないようにあんまり口を開かず、一番無口なメンバーだったけれど、何か話すよう強要されることはなかった。あたしはそこにいて、だれかの話を聞いていればよかった。学校を転々としたこどもだった、だれかの話を。そこにはいつも幼い（あたしの知らない、知ることのない）川原新造の姿が見え隠れして、あたしはそれをつかまえるために会合に通い続けた。いや、本当は、そのためではなかったのかもしれない。川原新造のことをまったく考えない日もあった。会合に参加して、だれかの転校にまつわる話を聞いているのは、どことなく心地よかった。

会合に通いはじめて二、三か月たち、会員のいれかわりなどもあったが、それでも毎回顔をあわせる五、六人のメンバーはみんな、独特のうちとけかたをしていた。それが期間限定だと知っている、幻の学校の幻のクラスの、同級生同士のような。

「ぼくは現在S区I町に住んでいますが、この町で自分が生まれ、この町しか知らずに育ったと、シミュレーションしてみようと思いました」

その日の会合で漆原さんはそう話しはじめた。その日の会合は都心の公園でおこなわれた。三月初旬にしてはあたたかく、日だまりのなか、コーヒーとサンドイッチが配られた。

漆原さんはあたしより二週間ほどあとに会合に参加しはじめた男の人で、三十歳を過ぎているみたいだったけれど、どことなく川原新造に似ていた。いつもパーカにジーンズという格好だった。川原新造と同じく彼もたび重なるおのれの転校経験をいいこととしてとらえてはおらず、「自分にこどもが生まれたら絶対に、何があっても転校だけはさせない」と力説していたことがあった。

「幼稚園と、小学校、中学高校、ここへ通ったのだというところを決めて、仕事のない日は毎日そのあたりをうろつきました。校庭開放日には一日学校のなかにいたりもしました。Ｉ町第三小学校の前には駄菓子屋と文房具屋があって、いつもそこに寄って、ソース煎餅《せんべい》だの太郎餅だの、消しゴムだのそんなものを買ってみました。架空の追体験です。記憶のぬりかえです。この小学校に自分は六年通っていたんだ、と思えるようになったら、今度は中学にいってあたりをぶらつき、そこにいた自分を想像してみる。中学のそばのマクドナルドや、本屋や、少し歩いたところにある楽器屋なんかに寄り道しながら帰る。だんだん、実際の記憶と、作りたての記憶の境界が曖昧《あいまい》になってくる。中学二年のとき好きだったみほちゃんとデートしたのは、このマクドナルドだったように思えてくる。山下が漫画を万引きするのを手伝ったのはこの本屋だったと思うと、店に入るのがなんとなくためらわれてくる。ぼくはきっと暗示に弱いんでしょうね、徐々に、Ｉ町から出たことなんかない気分になってきました」

みんな真剣に耳をすませていた。デート中のカップルや、子供連れで散歩している若い母親が、公園の真ん中にシートを敷いて輪になって座るあたしたちを、不思議そうな、不審そうな顔で眺めて通りすぎていく。遠く、林立する高層ビル群が、ぺたりと平坦な空を突き刺す、いろんなかたちのフォークみたいに見えた。

「高校は最寄り駅から三十分ほど電車に乗った場所にある、進学校ではない、私立の高校にしました。その学校は高校一年から二年の途中までぼくが実際に通ったところと、建物も、生徒たちの感じも、多分偏差値とかそういうことも、とてもよく似ていたのでこれはシミュレーションが比較的楽でした。グラウンドやプール、渡り廊下や下駄箱、学内をうろつく自分を想像し、それから放課後、友達や女の子と繁華街へくりだして、ゲームセンターへいったり、ラーメンを食べたり、CD屋をチェックしたりする。それからは簡単です。ぼくは都内の大学に進んだので、そこへつなげればいいだけです。下宿していた記憶を消して、今の住まいから大学へ通っていたことを想定すればいいわけです。実際ぼくは今の家から幾度も大学にいってみました。もっとも所要時間の短い通学路、当時つきあっていた女の子の家との距離、混雑を避け座席に座っていく遠まわりの道順、終電の時間、そんなものもすべてシミュレーションしました。完璧です。成功といっていいんだと思います。たとえば中学時代のことを思い出そうとすると、I町の中学が浮かぶようになったし、大好きだったきなこ飴の味を思い出すと自然にI町第三小学校の前の駄菓子屋と、愛想のないそこのおばあさんが頭のなかで像を結ぶようになりました。人は意外に簡単に、自分の人生をぬりかえられるものです。いや、正確にいえば、自分の人生が展開された場所を、簡単にかえられるのだと思いました」

「わたしもやってみようかしら、それ」遠藤さんが言って笑った。

「場所の記憶をぬりかえるとは、斬新なアイディアですなあ」一番年長の佐川さんが言う。

「しかし困ったことが起きました」コーヒーの入った紙コップを両手で包み、図体の大きな漆原さんは背をまるめるようにして、小さく言った。「ぼくは本当に、自分が転校をくりかえしたことなんかすっかり忘れたような気分になっていたんですが、あるとき、帰ってきて玄関をあけ、キッチンにいき、今日の夕飯は何？　といつもみたいに妻に訊き、今日はてんぷら、と答えた妻が、一瞬、だれだかわからなかったのです。もちろんそれは一瞬です。ぼくたちはいつもとかわらず向き合っててんぷらの夕食をとり、笑いながら話をしました。けれどそれはときどきぼくを襲うようになりました。妻や友達、親しい人と一緒にいるとき、彼らがだれで、どうして今一緒にいるのか、何を話しているのか、わからなくなるんです。それは本当に一瞬なので、笑ったり相槌《あいづち》をうったりして、必死でごまかせばすぐに過ぎます。だれもぼくが一瞬にせよそんなふうに混乱していることには気づいていないと思います」

漆原さんはそこで言葉を切り、あたしたちは黙った。頭上を肉厚の雲が覆うように移動していた。コーヒーおかわりほしいかた、と山中さんが小さく言って、数人が手をあげ、彼女は魔法瓶からついでまわった。

「あのう、それはどうなったの？」

林さんがおそるおそるといった感じで訊いた。みんな漆原さんを見る。

「今も続いています」

漆原さんが言い、みんななんとなくため息をついた。それからしばらく、だれも何も話さなかった。あざやかなピンク色のフリスビーが飛んできて、あたしたちの輪に近く落ちる。すいませえーん、と明るい声をはりあげて、カップルの男の子がとりにくる。

「じゃあさ、リコンしちゃう？」

月に一度か二度参加する、なぞの小学生、るりちゃんが訊き、何人かがその直接的な表現に思わず笑い声をあげる。

「リコンはしません」へんな生真面目さで漆原さんは答え、あたしはなんとなくほっとした。「何が問題かってきっと、記憶のぬりかえ作業がいけなかったのではなくて、ぼくがそれだけ、人は場所に既定されるものだと思いこんでいる、そのことが問題なんだと思います。I町出身の自分ははたして現在の妻と出会って恋に落ちただろうか、と、ぼくはどこかで疑っているんだと思います。最近は毎日そのことを考えるようになりました。自分の人生が展開された場所をかえたら、出会う人々もかわるのだろうか。出会う人々に対する感情もかわるのだろうか」

ひとつところに育っていたら川原新造はたったひとりの女の子だけを愛することができるのだろうか、と、漆原さんの疑問のあとにあたしは心のなかでつけ加えた。

「結局ぼくは、どこで育っていても、実際の倍転校していてもI町から出ずに育ったとしても、たぶん妻と出会い恋に落ちただろうと思うようになりました。相手と自分のつながりが一瞬まったくわからなくなる発作が起きても、その都度ぼくは恋に落ちればいいし、友達をつくり続ければいいのです」

「なんだかロマンチックな話ね」遠藤さんが言い、

「奥さんはしあわせだわ」林さんが言い、

「なんだリコンはナシか」るりちゃんが言った。

しかし漆原さんは背を丸めたまま、

「実際のところはよくわからないんです。記憶のぬりかえ作業なんかするべきではなかったのかもしれないと思うこともあります」

そう言って、ぞっとするようなさみしい表情で笑ってみせた。だれも何も言わなかった。しばらくのあいだ、沈黙が続いた。

「この世界には無尽のバスが走っていて、あたしたちはいつもそのどれかに乗らなくちゃいけなくて、ずっと乗り続けているって思いませんか」

思わずあたしは声を出していた。めったに口を開かないあたしが声を出したものだから、みんながいっせいにこちらを凝視した。自分でも何を言おうとしていたのかわからなくなる。あたしはただ、さみしい顔で笑う漆原さんに何か言ってあげたかったのだ。もしくは、ひとりの女の子と一年しかつきあえない川原新造や、川原新造にもう会えないかもしれないあたし自身に。

「それで、あたしたちが出会う人はみんな同じバスに乗り合わせた人で、でもほら、目的地がみんな違うから、おりる場所はばらばらで、あたしそんなふうに思うんです。それでね、漆原さんは今奥さんと同じバスに乗っていて、隣同士に座って、窓からおんなじものを見て、言葉を交わしたりして、それはきっと楽しいことなんだと思うんです。漆原さんがどこからバスに乗ってもきっと奥さんと会っただろうし、隣に座ってその時間を共有したと、あたしは思います。終点までずっとじゃ、ないかもしれないけど」

　あたしは自分の爪をいじりながら一気にしゃべった。薄っぺらい、表面ばかりのことを言っていると思った。たとえはどこまでもたとえだし真実じゃないと思った。それでも、転校経験のある川原新造と経験のないあたしが「絶対に」理解しあえないなんて思いたくなかった。あたしと川原新造がある時期ともにバスに乗っていたとしたらそのとき、あたしたちは何にもへだてられることなくおんなじものを見ていたんだと、自分に言い聞かせたかった。

「ありがとう」

静かな声で漆原さんが言った。顔をあげると、漆原さんはあたしを生真面目な顔で見ていた。

気がつくと太陽はずいぶん傾いていて、思い出したように寒くなった。しばらくみんな何も言わずに、ビル群や、空や、遠くの木々をそれぞれ見つめていたが、今年の桜は早いらしいですよ、とか、テレビがこわれて買おうとしたらずいぶん安くなっていて驚いた、とか、そんなことをぽつぽつと話しだし、会の終わりを山中さんが告げた。時計を見ると二時間をとうに過ぎていて、アルバイトに遅れそうだった。先に帰っていいかと山中さんに訊くと、彼女は次回の集合場所と日時を教えてくれた。さようならとみんなに言い、みんなもさようなら、またね、と言い、あたしは輪を抜けて歩き出した。

公園の出口でふりかえると、みんなあとかたづけをしていた。レジャーシートをたたみ、紙コップを集め、サンドイッチの皿をゴミ袋に入れていた。傾いた太陽が橙《だいだい》に色をかえていて、あたりはすっぽりとつつまれるように金色で、みんな、砂漠にいるみたいに思えた。テントをたたんで、水のある場所を目指してふたたび出発するように。その光景は完成された一枚の絵みたいで、あたしは足を止めて砂漠のなかの彼らを眺めた。

たしかにあたしたちは、それぞれの目的地へいくために、うんざりするくらいいろんなバスに乗り続けているのかもしれない。バスに乗り、だれかと出会い、言葉を交わしたり交わさなかったりし、おりて乗り換えて、またそこでだれかと出会う。永遠に。どこかへたどりつくまで。

公園の出口で立ち止まり、じっと見ているあたしに気づいて、まずるりちゃんがぴょんぴょん飛びはねながら手をふった。それでだれもがあとかたづけの手を止めて、こちらを見、あたしに向かって手をふった。白髪の佐川さんも、主婦代表みたいな遠藤さんも、背広姿の北野さんも、鼻ピアスの近藤くんも、おかっぱのものしずかな山中さんも、横一列に並ぶようにして、いろんな速度で手をふっていた。

砂漠のなかにいるみたいな彼らに手をふりかえして背を向け、肌寒くなりはじめた町なかへ駆け出して、ついさっき山中さんに聞いた、次回の場所と日時を忘れてしまったことに気づいた。けれどあたしは公園には戻らず、きっともう、学生新聞で彼らの広告を捜すこともしないだろう。そしてあるときふっと、ある時間一緒にバスに乗り合わせた人々を思い出すに違いない。幻の学校の、幻の同級生を思うみたいに。

ジミ、ひまわり、夏のギャング

まるで神のようにいつも見守っていた

　南側に大きなガラス戸、東に窓、それで、西側の壁がいやにがらんとしているなあと、引っ越しの荷物がほとんどかたづいたところで思い、ああ、ポスターだ、ポスターを持ってくるのを忘れたんだ、と気づいた。

　ポスターは高価なものじゃない、価値があるものでもない、友達のゆうちゃんがはじめて海外旅行をしたとき、おみやげに買ってきてくれたもので、王冠をかぶったジミ・ヘンドリックスがじっとこっちを見ている、というしろものだ。ゆうちゃんがなぜこのポスターをおみやげに選んだのかはいまだに謎である。ゆうちゃんの旅行先はシンガポールだったし、あたしはジミ・ヘンドリックスのファンではないどころかきちんと聴いたこともない。

それでも、もらってすぐさまあたしはそのポスターを木造アパートの狭苦しい部屋の壁に貼り、鉄筋のアパートに引っ越したときもそれを持っていき、さらに、近藤三太のアパートに転がりこんだときも、荷物を運びいれて最初に考えたのはそのポスターをどこに貼るかということだった。つまり、王冠姿のジミ・ヘンドリックスは、十九のときから七年間も、ずっとあたしの寝起きを見守ってきたことになる。晴れの日も、雨の日も。熱烈な恋をしているときも、そんなに好きでもない相手を家にひっぱりこんできたときも。泣きべそをかきながら卒業論文を書いていたときも、近藤三太とはじめて接吻をしたときも。

引っ越しのたびにそれを持ち歩いていたのにはちゃんと意味がある。彼のもっとも有名な、パーヘイッ、ではじまるあの歌（しかも出だしのみ）しか知らないけれど、どアップのジミ・ヘンドリックスがこっちを見ている、そのポスターは、なんとなくあたしをやる気にさせるのだった。意識して毎日見ていたわけではないけれど、ふとしたときにそのポスターに目をやると、自分が大いなるもの——それはジミのことじゃない、何かはわからないけれどとにかく、とてつもなく巨大な何かなのだ——に肯定されたような、これからの毎日がうまくいかないはずがないような、おおげさだけれど本当にどこか大仰な気分になって、部屋を出ていくのにも夕食を作るのにも意気揚々となるのだった。

それで、そのポスターが、ないのだった。空いた段ボールをひとつずつつぶしてまとめ、ロープでしばりながら、あのアパートの、あの部屋のあの壁に貼ったままにしてきたことを思い出す。あんまり当然のようにそこにあったから、荷造りをするときにはがすことなんて思いつきもしなかった。いや、いいや、そうではない。それどころじゃなかったのだ。あたしがあの部屋をでていく、そのことについては何度も話し合ったのに、それでも引っ越しの日まで――こんなこと考えるのもいやだけれどひょっとしたら今も――あたしは動転していたし、何が起きているのかよくわかっていなくて、呆然としながら無我夢中で自分の荷物を引っ越し屋の段ボールに詰めて、あたしたちを見下ろす王冠男のポスターなんか、すっかり忘れていたのだ。引っ越しを終えて、荷物がかたづくまでの一週間でも思い出せなかったのだ。あきらめるしかないのかもしれない。

しばりあげた段ボールを抱えて、こっそり捨てにいく。夜半のゴミだし禁止と貼り紙がしてあったけれど、夜型のあたしが早朝に起きられるはずがない。足音を忍ばせて階段を降り、ねっとりと体にまとわりつくような夜の熱気のなか、そうっとゴミ捨て場に段ボールを捨てる。ゴミ捨て場から、あたしのアパートが見える。窓とベランダが見える。自分の部屋だと思えない。引っ越してまだ一週間だからじゃない、きっと一年たったって、あそこが自分の部屋だとあたしには思うことができないだろう。

生きるうえで大事なことは勇気と興奮

よくよく考えてみればあたりまえのことなのだけれど、夜中に引っ越し屋の段ボールを出したことによって、今までゴミの日のたびに深夜のゴミ出しをしていたことが大家にばれて、あたしはこっぴどく叱られた。たった一週間のことなのに、だらしないとか、秩序が乱れるとか、必要以上にねちねちと大家は説教を続け、あたしは突然、こうなったのは全部近藤三太のせいだという思いにとりつかれた。

だから自由業の女の人なんていやだって言ったのよフリーライターっていったいなあに横文字にすればいいと思って最近の若い人は、と、大家があたしの職業にまでけちをつけはじめるのを、うつむいて聞きながら、今日じゅうに東急ハンズにいって藁《わら》を買うんだとあたしは決意していた。三人ぶん呪《のろ》えるだけの藁。大家のばばあ、近藤三太、それから近藤三太のあたらしい女。あたらしい女に罪はないから気の毒だけれど、そうでもしなければ気がおさまらない。三体の藁人形を丑《うし》三つ時に五寸釘で打ちつけてやる。

あなた夜中にこそこそゴミ出ししてわたしが泥棒と勘違いして110番しても文句は言えないのよ、わかってる？　わかったらもうそんな泥棒みたいなまねはやめることね、コンパスみたいに痩せぎすの大家はそう言い捨てて、背を向け階段を降りていった。

偶然とはおそろしい。あのとき大家が泥棒なんて言わなければ。そしてその直後、藁を買うべく東急ハンズに向かったあたしが、それを見つけられずかわりにアクセサリ収納箱なんてものを買わなければ。

缶からに無造作につっこんである、ピアスや指輪やそんなものを整理していたら、そのなかに錆びかけた鍵がひとつ混じっていて、それが、近藤三太のアパートのスペアキーであることに気づくまで、数秒を要した。それからさらに、大家のばばあの泥棒発言が頭のなかを渦巻いて、そうだ泥棒だ、泥棒に入ろう、滑稽な格好をした天才ギタリストのあのポスターをとりかえすため、あのアパートへ忍びこむのだ！　と決意するまで、さらに数分が必要だった。

どうせ忍びこむのだったら、もっといろんなものをいただいてきてもいいかもしれない。お金関係はしゃれにならないしそんなものはほしくない、たとえば漫画――ああずっとほしかったスラムダンク全巻！　たとえばＣＤ――ニール・ヤングを一枚くらいならたぶん気づかれないだろう、たとえばＴシャツ――絶対に貸してくれなかった古着のあれだ、そんなものならぜんぜんかまわないんじゃないか。引っ越し費用をいくぶん援助してくれたとはいえ、出ていったのはあたしで、出ていかせたのは彼なのだから。

その思いつきはあたしをひさしぶりに興奮させた。わくわくする、なんて状態がこの世のなかにあることをすっかり忘れていた。実際、引っ越しが決まってからというもの、あたしは完璧な無気力状態だった。無気力なままアパートを捜し荷造りを終えて、ドナドナの歌みたいな気分で引っ越してきたのだ。もし十万円入りの財布を拾ったとしても興奮なんかしなかっただろう。

ともかく、あたしは泥棒に入ることを決意した。数週間前まで、あたしの家でもあったあのアパートの一室に。

夏のさなか　あたしは犯罪者になる

今日もまた三十度を超す猛暑になると、朝の天気予報でいやになるくらいくりかえされていた。先週買ったばかりの白いノースリーブのワンピースを着て、折り畳みの日傘を持って私鉄電車に乗る。車内は空いていて、座席はかなりあいていたけれど、あたしは座らず、ドアのわきに立っておもてに流れる景色を眺めた。あのアパートを出てから三週間しかたっていないのに、窓の外のひとつひとつがやけになつかしく感じられた。線路沿いの、仕立て屋の古めかしい看板だとか、ちゃんこ屋の前にいつも立っている相撲取りの奇妙な人形だとか、ビルとビルに切り取られた微妙な角度の空のかたちとか。

世間は夏休みなのに、いや、夏休みだからか、あたしの降り立った駅も町もがらんとしていた。改札を出て、ひとけのない、どこかぐったりとした商店街の、くっきり濃い影と日向《ひなた》をぬって歩き、ハイムひまわりを目指す。

なんでハイムひまわりなんて名前なんだろう、近藤三太のアパートに転がりこんだとき、そう訊いたあたしに、夏になればわかるよ、と彼は答えた。その答で、夏にならなくてもアパート名の由来を理解できたけれど、しかし実際夏になってみてぎょっとした。アパートの庭一面が巨大ひまわりで埋まっていた。一階の部屋の窓はふさがりかけていたほどだった。大家がそういうタイトルの映画をひどく好んでいたらしいが、その光景は、美しいとか夏らしいとかいう以前に、少々イッってしまったきらいもなくはなかった。花ぶりが大きなものは、あたしたちの顔ほどもあることをはじめて知った。

ハイムひまわりに向かう坂道を上がっていくと、数メートル先に、ひまわりに支えられて立っているような古いアパートが見えて、あたしはそのどこか時空の歪《ゆが》んだような光景を愛していた。日に日にひまわりが首をうなだれていくのはかなしかった。夏が去るのはかなしかった。

商店街がとぎれ、横断歩道を渡るとゆるやかな坂道になる。商店街の終点には古い造りのお菓子屋がある。店先に、色あせたベンチとがちゃがちゃの機械——コインをいれてレバーをがちゃがちゃまわすとカプセル入りのおもちゃが落ちてくる――を無造作に並べた、時代に置いていかれてしまったみたいな店だ。コンビニにならないかなあ、と、あたしたちはいつもここを通りすぎるたび言いあい、ジュースやアイスやポテトチップスを買って、中学生みたいにそれを食べながら坂を上がっていった。

少し迷ってから、ひさしを深くおろしたそのお菓子屋に入って、コカ・コーラを買った。薄暗い店のなか、いつもとおなじおばちゃんが数週間前とかわらない、機械的な応対でおつりをくれる。おばちゃん。あたしのこと覚えてる？　髪の短い、痩せぎすの男とよく一緒に買い物にきたでしょ。あたしはもうこの町に住んでいないんだよ。そんなことを言いたくてたまらなくなるけれど、もちろん言わない。おばちゃんとあたしはそんなに親しくない、というよりも、会話なんかしたことがない。ありがとう、さえおばちゃんは言わない。店を出るとき、しかし唐突におばちゃんがあたしに声をかけた。まったく予想しなかったことなので、あたしは幻聴を聞いたのかと思った。けれどたしかにおばちゃんはこう言った。いいわね、夏に白は、涼しげで。それがあたしの着ているワンピースのことだとわかってふりむくと、おばちゃんはもう奥にひっこんでしまっていた。

いいわね、夏に白は、涼しげで。おばちゃんの声をはじめて聞いた。

さまよえるあたし（たち）の孤独な魂

見た感じではゆるやかなのに、実際歩くとけっこう息が切れてくる坂道を、コーラを飲みながらゆっくり歩く。コーラはしゅわしゅわと縮緬《ちりめん》の布地みたいな感触をのどに残す。鉄線のはりめぐらされた空き地には雑草がたくましく生い茂っていて、向かいの木造一軒家の前には年代物のシビックが停めてある。数週間前と、いや、去年の夏と何ひとつかわっていない。コーラ缶の水滴が指先から手首に流れ、汗は額から頬へと流れる。太陽は音もなく降りそそいで、景色の隅から徐々に溶かしていくみたいだ。

視界のずっと先に黄色が揺れていて、あたしは一瞬、ずいぶん長い旅から帰ってきたような錯覚を味わう。近づくにつれ、ひまわりが全開で咲いていることに気づく。数えきれないひまわりを土台に、三階建ての古びた鉄筋アパートがかろうじて建っているようなこの光景も、まったくかわらない。

近藤三太が今日は確実にいないことは知っていた――レコファンでのバイトが十一時から七時まで、その後飲み会、と、バイト友達のコウスケに聞いた――けれど、鍵を鍵穴にさしこむとき、はんぱじゃないくらいどきどきした。心臓が体じゅうに散らばってしまった感じ。ひょっとして彼が鍵ごととりかえてしまったかもしれないと一瞬思ったが、鍵はするりとまわってドアは開いた。ばかばかしいくらい、以前とかわりなく。

カーテンがしめきってあるせいで、薄暗く、むっと熱気のたちこめる部屋に、首だけつっこんで、それからそうっと体をさしいれ、靴を脱ぐ。あたしを迎える部屋のにおいが以前と少し違う。とがったようなにおいだった。部屋のなかをずんずん進み、クーラーをつける。涼しくなるまで、ソファに腰かけて部屋のなかを見まわす。

ポスターは以前と同じところにちゃんと貼ってあった。ソファの真向かい、テレビの上。いたずらな運命によって引き離されていた恋人に再会したような気分だ。涙ぐみそうになる。

ジミ、あんたはいったいここで何を見た？　部屋のなかがあまりにも静まりかえっているので、芝居じみた口調であたしはささやいてみる。近藤三太はあたしがいなくなってどんなだった？　少しはさびしそうだった、それともはしゃいでいた？　ひょっとして、あたらしい女を早速ここに連れこんだりしていた？　ところで、あんたは見たの？　その女を？　そこまで言って、あんまりおもしろくないどころか、いやな気分になりそうだったのであたしは口を閉ざした。

部屋はふたたび静まりかえり、クーラーがまわる音が聞こえ、汗が徐々に引いていく。あたしは立ち上がってCDのスイッチをいれて、カーテンを思いきり開ける。ベックが流れてきて、近藤三太の音楽趣味がこの三週間でいちじるしくかわっていないことにほっとする。

部屋にあがりこんでまず何からはじめるか、個条書きにして泥棒計画を練っていたというのに、カーテンの向こうに広がる、見慣れた景色、坂の下に広がる赤茶けた屋根の連なりや、その合間をリボンみたいに走る私鉄電車なんかを見ていたら、何もする気がなくなってふたたびソファに腰をおろした。

部屋のなかは想像していたよりかたづいていた。壁に沿って積み上げられたCD

は少し増えた気がする。台所のかごには切らしたことのないプリングルスのポテトチップスと食べさしのポップコーン。水切りかごにはひとりぶんのマグカップと、皿と箸がある。あの皿は神社の境内でやっていた陶器市で一緒に買ったものだ。あたしも使っている。ガスコンロにおいてあるフライパンは、生協で買った。三十九百円のか、千五百二十円のか、さんざん迷って、迷いすぎてなぜかつかみあいに近い喧嘩までして、安いほうに決めたんだった。

見慣れたものばかりなのに、なんとなく落ち着かない。バランスが悪い。においが違うからだろうか、それとも、ここにあたしの居場所はすでになくて、あたし自身さほど罪のない泥棒に過ぎないからだろうか。

ふと、ベランダをだれかが横切った気がした。一瞬からだをかたくしてベランダに視線を移す。レースのカーテン越しに青空が見える。気のせいか。そう思ったとき、あたしは聞いた。ちょっと、さんちゃーん、これさー、虫わいちゃってるよー、どうするー？　ベランダの向こうで、かつてのあたしが部屋に向かってそう言っているのを。かすかだったけれど、それは本当に聞こえた。捨てちゃうか？　虫ついたらもうだめだろー？　わかんないよーそんなの。明日花屋いって訊いてみよーよー。

あたしは呆然とソファに腰かけて、かつてのあたしたちの会話が、細い雨粒ほどのかすかさで響くのを聞いていた。そうしていると、あたしたち自身、この小さな部屋のなかで暮らしていた、あのときのままのあたしたち自身の姿も浮かびあがって、あちこちうろつくのが見えた。シュミーズ一枚でベランダに素足で立って、知識もないのに買ってきたハーブの葉を見るあたしに、近藤三太はTシャツくらい着ろよー、と笑って言う。

近藤三太は台所で汗をかきながら蕎麦をゆで、鼻歌でニール・ヤングのメロディラインをなぞり、窓を開け放ってあたしはベランダに足を投げ出し、足の爪に色を塗っていく。近藤三太はヘッドホンをかけてベッドに寝転がり、自分で編み出したという「筋力アップドラゴン体操」なる奇妙な運動をしていて、あたしは台所の床にしゃがみこんで、ボウルいっぱいに作ったコーヒーゼリーを食べている。ねーコウスケとさーキョーコってにあうと思わないー？　会わせようか今度。あーだめだめ。コウスケは好きなやついんの。あいつ見かけと違って一途《いちず》なの。一途うー？こないだチューしてたじゃん、モモちゃんに。ばっか、一途なやつほどあーゆーことすんだって、わざと。うげ。何、どした？　ゼリー食いすぎ、きぼわりい。げえー、だせえー、ぎゃははは。ぎゃははは。

それがいつのことだか思い出せないくらいたくさんのあたしたちが部屋じゅうにあふれていく。ソファに深く腰かけたあたしの前で動きまわる、無数のかつてのあたしたちは、昔持っていたへんなおもちゃ、スライムとかいう名前の、緑色の半透明な得体の知れない物体、ちょうどあれによく似ていて、とらえどころなく正体なくふわふわと分裂し繁殖し部屋じゅうを動きまわる。

近藤三太の大事にしていたレコード盤をものすごい形相であたしはばりばりと割り、風呂からでてきた近藤三太は脱衣所に立ちつくして、啞然とそれを眺めている。近藤三太はベランダにでてあたしに背を向け、一箱ぶんのたばこを吸っている。あたしは作ったばかりのパスタやサラダをごみ箱に捨てる。ひっきりなしにあたしの頰を涙が流れている。

日々が過ぎ去って、記憶とともにどこかへ追いやられたように思っていたかつてのあたしたちは、消えずいなくならずきちんとここに居続けているのだった。半透明でとらえどころなく、ばかみたいにうれしいときのあたしたちも、信じられないくらいさびしいときのあたしたちも。

過去は掌をすべりおちる液状の砂

ソファから立ち上がって、台所へいく。やかんに水をいれて、意味もなくガスにかける。冷蔵庫を開けて首をつっこみ、ブルーベリー・ジャムの瓶を開けて人さし指ですくってなめる。部屋のなかをうろつく。CDをかえて、床に落ちている雑誌をめくってみる。ここでまだ暮らしているふりをしてみる。そうしながら、部屋じゅうにちらばった、かつてのあたしとの結合を試みている。けれどスライム状のかつてのあたしは、数えきれないくらいに繁殖しているのにどれもが、部屋のなかをうろつくあたしをすり抜けて勝手に動いていて、それで、あたしは、ばかみたいにうれしかったときの自分に戻りたいのだと、気づいても仕方のないことに気づいた。

テレビのわきに鏡が置いてあって、それは以前とまったく変わらないんだけれど、何かが違う気がして近づいてみると、鏡の隣に、馬鹿げたセルロイドの人形が飾ってあった。顔が緑色で、目玉が真ん丸の、まったく意図がわからない十センチほどの小さな人形で、それはかつてここにはなかったものだった。さっき感じた居心地の悪さ、バランスの悪さは、見慣れないこのへんな人形のためにもたらされているのかもしれなかった。それはひどく小さくてちっぽけなのに、この部屋の雰囲気やバランスや空気を一変させてしまう奇妙な威力を持っているのだった。

やかんがぴいぴいとやかましい音をたてて、急いでガスを消す。水切りかごからマグカップを出して、インスタント・コーヒーをいれて飲んだ。流しに寄りかかって、かつて近藤三太がうたっていた鼻歌を真似してみる。そうしているあたしの前を、半透明のかつてのあたしたちが無数に行き交っている。

生まれてからずっと、あたしはずっと同じ一人のつもりだったけれど、違うのかもしれないと、そんなことを思う。蟬《せみ》が脱皮するみたいに、もう何度も何度も殻を脱ぎ捨てて、少しずつかたちも色も質感も違う自分になって今ここにいるのかもしれない。

インスタント・コーヒーを最後の一滴まで飲むと、額に汗がにじんだ。カップを洗って水切りかごに戻し、ポスターをはがしにかかる。右上の画鋲を抜いて、それにしても近藤三太もけっこう無神経な男だ、わかれた女が持ってきたポスターをそのまま貼っているんだから、なんて思いかけたとき、突然電話のベルが鳴って、万引きが見つかった中学生みたいにあたしは飛び上がって驚いた。

五回呼び出し音が鳴ったあとで、録音された近藤三太の声が聞こえてくる。はい、今いませーん。メッセージを残しておいてくださーい。ほんじゃっ、よろしくっ。ぴーという音のあとで、

「あーツカモトだけどおー」あたしの知らない男の声が部屋に響く。「えーとさー、今度の、日曜の、チケットの件なんだけど、あれ、だれに金払えばいいの？　っちゅーか、しきってんのだれよ？　あとそれからさー、いや、これはいーや、またあとでかけるなー」

ツカモトという男をあたしは知らず、彼の言っていることはまったくわからず、本当に自分が今泥棒に入っているのだということを実感した。自分とまるでつながりのない、だれかの部屋にいるのだということを。

右上のめくれたポスターにもう一度目をやって、右下の画鋲を抜き取ろうと手を伸ばし、そのまま動きをとめた。

ポスターがめくれている部分の壁はやけに白くて、これをはがして持っていって

もきっと近藤三太は怒らない、あたしのしわざだとすぐにばれるだろうけれどきっと許してくれる、でも、この部屋から、このポスターを持っていってしまったら、この空間を行き来している、かつてのあたし、数えきれないほど繁殖してうろついている半透明のあたしが、目の前の夏の道みたいに、端っこから溶けて、消えていってしまうような気がした。
少し離れて、ソファの上に立って壁に背中を押しつけて、しばらくのあいだ右上だけはがされたポスターを眺めた。ジミ・ヘンドリックスの右目だけがこっちを見ている。

つまりナンバリングを永遠に続けるようなこと

CDを消し、冷房を消し、ガスの元栓をしめる。マグカップやインスタント・コーヒーの瓶や、手を触れたものがもとどおりの場所にあるか確かめる。ガラス戸の前に立って、おもての景色を眺める。赤茶けた、小さな屋根の群れは強い陽射しを照り返して、湖の湖面みたいにちかちかと光る。住宅街から突き出た巨大なけやきの木と、鋭い銀色の、風呂屋の煙突。夕暮れどきに、地球にへばりついたような屋根はさらに赤茶けて、煙突とけやきの木が橙《だいだい》に染まっていくのを、あたしはよくここで見ていた。

橙色はいつも、空のどこかに吸収されていき、どんなに目を凝《こ》らしていても気づかないほどのさりげなさで、いつのまにか屋根も木も煙突も淡い青につつまれている。駅のホームや、家々の窓や、遠くのネオンサインや、それらがバトンリレーみたいに明かりをつけていって、それで坂道をじっと見下ろしていると、近藤三太の姿を見つけることもあった。あたしはそれを、この位置に立ってぼんやりと目で追っていたり、ベランダに出て彼の名を呼び、大きく手をふったりしていた。窓の外を眺めているあたしの横で、この場所に残されたかつてのあたしは今もそうして、坂道に近藤三太の姿を捜している。

冷房を切ってしまったから部屋のなかは徐々に蒸し暑くなってくる。カーテンをしめて、もう一度部屋のなかを見渡して、右上だけはがれたジミ・ヘンドリックスのポスターを数秒眺めて、靴をはく。

部屋のなかは静まりかえっている。カーテンの隙間から細い光が漏れている。留守番電話のランプが点滅している。バババーイ、とあたしはつぶやく。部屋に、ジミに、それから部屋じゅうを動きまわる、何百、何千という、かつて恋人同士だったあたしと、近藤三太に。

　ドアを開けると、おもては驚くくらいまぶしかった。スラムダンクもニール・ヤングもTシャツも盗まなかった。それでよかった。

　ハイムひまわりの階段を降り、ひまわりの生い茂る庭で立ち止まる。今年も見事に咲いている。巨大なひまわりが地面にぼてぼてと影を落としている。その黄色い花は彼方まで連なっているようにも見えて、たしかにあたしは、もう幾度も、数えきれないくらいあちこちに自分の殻を脱ぎ捨てて、それで今ここにいるんだとそんなことを思う。たとえばかすかにいいにおいのしたピアノ教室や、足を踏みいれるだけで気分が悪くなった体育館や、冬のあいだストーブを焚く、生まれた町の駅の待合室や、それはもう数えきれない場所で、近藤三太の部屋に居着いているのと同じ半透明のあたしは、おんなじように、笑ったり泣き叫んだりじっと宙を見つめて何ごとか考えたりしているんだろう、きっと、今でも。全部番号をつけていったら、このひまわりのなかに立つあたしにたどりつくまでに、膨大な数になるだろう。何十万目か、何百万目か、とにかく、明日になったらまた新しくナンバリングされて、それはきっと永遠に続く。ひまわりの合間を飛ぶ虫の羽音が、すぐ近くで聞こえる。ゆるやかな坂を下る。日傘を持ってきていたことを思い出して、バッグから取り出してさした。足元に、まるい影が広がる。坂にひとけはなく、今日は車もとおらない。淡いまるい影と、濃いあたし自身の影が、陽にさらされた白い坂道をすべるようにおりていく。日傘をくるくるまわして、でたらめな歌をうたいながら坂を下り、途中でふりかえった。やっぱりアパートは、ひまわりのなかに突如あらわれたような不自然さで建ち、強い陽射しのせいで、輪郭を奇妙に歪めていた。

坂はのぼっているときもそうだがおりているときでも汗が流れ落ちてくる。坂を下りきった横断歩道で大きく呼吸をして、少しだけ迷って、それからまた、お菓子屋に入った。薄暗い店内で、アイスのつまった冷凍庫に頭をつっこむようにして選び、でてきたおばちゃんに小銭を渡す。彼女はさっきあたしに話しかけたことなど忘れてしまったみたいに、いつもと同じ事務的な態度でそれを受け取り、釣りを渡して、奥へひっこむ。

店先においてある、ペンキのはげたベンチに腰かけてあたしはアイスを食べた。

お菓子屋のななめ前には、お菓子屋と同じくらい古びた、磨りガラスの床屋があって、ポスターが貼ってあることに気づいた。自衛隊員募集のポスターで、制服を着た男が一人、空を指差すような格好で立っているのだが、それを見るともなく見ているうちに、自衛隊の男はジミ・ヘンドリックスになって、ここにいるあたしをじっと見つめている、そんなふうに思えてくる。だいじょうぶだよジミ。あたしは心のなかで言う。

アイスクリームは溶けてコーンにしたたり落ち、急いで舌先でそれをなめる。ベンチの足元に、くっきりとしたあたしの影があり、その影にぽとりと、白いアイスクリームが落ちる。近くにいた蟻《あり》がゆっくりとへんな歩きかたで近づいてくる。蟻がどんなふうにアイスクリームまでたどりつくのか見ているうちに、また、ぽとりとアイスが垂れて、それはまるで涙みたいに思えた。

さよなら、かつてのあたしを奮い立たせたすべてのもの

立ち上がり、アイスクリームの包み紙をゴミ箱に捨てて、お菓子屋のひさしを出

る。夏の陽射しの下で道路は、すべての音を吸いこんでしまったみたいに白く輝いている。日傘をさす。人の気配のしない商店街を歩きはじめる。さっき歩いた道を駅へ向かって歩いているだけなのに、あたしはなんだか、未知の場所へ、ときおり追っ手を気にしながら、それでも意気揚々と向かっていく、宝物をごっそり背負ったギャングみたいな気分になる。

バーベキュー日和（夏でもなく、秋でもなく）

0.

ひょっとしたらそれが最初の記憶、ということになるのかもしれないけど、はじめて買ってもらったおもちゃのことを、あたしはとてもよく覚えている。

なかが空洞の、プラスチックの四角い箱で、側面に、木とか、星とか、ハートとか、ばってんとかまるとか、とにかくそんなかたちに穴があいていて、同じかたちの破片をそこからなかにいれる、という、「乳幼児の知能と運動能力と自発性を高める」らしい、教育的なおもちゃだ。

電車でデパートまでいってそれを買ってもらって、帰ってきたときのことも覚えている。夏で、改札口のわきの木造の待合室で、あたしはおかあさんと並んで腰かけ、足元においてある、包装されたそのおもちゃをちらちらと眺めている。おかあさんの日傘がそのわきに立て掛けてあった。おかあさんはハンカチで顔をあおいで、ときおり思い出したようにぐるりとあたしの顔を拭いた。青い縁取りの、朝顔の刺繡があるガーゼのハンカチだった。

「あなたが今何を考えているかわかるわよ」とふいにおかあさんが言った。「あててみせようか?」

そうしておかあさんはあたしの顔をのぞきこんで、

「早くおうちに帰って、そのおもちゃで遊びたいなあって、そう思ってるでしょ?」

どきんとした。見事にあたっていたのだ。ひょっとしたらこの女には一生かなわないのかもしれないと、あたしは漠然と思った。

待合室の向こうで、陽射しは強烈で、ホームも、看板も、何もかもが白っぽかった。

星型の穴には星のかたちの破片を、ハートにはハートを、ばってんにはばってんをあてはめて、箱の内側に落とすそのおもちゃは、しかし思っていたほどおもしろいしろものではなかった。

1.

「でもねS公園でもいいんだけど、あそこは道具を借りなきゃいけないのよ、持ちこみ不可なの。ほんで、ナミちゃんの言ってたM駅の川原ね、そこはね、駅おりてから歩かなきゃなんないの、十分くらい。車ならいいんだけどー、でも高かったでしょ？　一人一万くらいになっちゃうじゃん？　っていうかさー、あたしたち、なんでいつまでもみんな貧乏なんだろう？　一人一万くらいばんと出してさ、車で快適にいきたいよねえ」

モトコはあたしの相槌も待たずにしゃべりまくる。受話器を右から左にかえる。

「あ痛たたたたた」

さっきからあたしの足の裏を揉《も》んでいたコーちゃんが力をいれすぎて、思わずそう言って足をひっこめる。

「え、何？　何？」

モトコは話を中断して訊く。

「あ、ごめん、足の小指をたんすにぶつけた」

あたしは言って、コーちゃんをにらむ。彼は声をたてずに笑う。

「あーそれそれ、それ痛いよねー、平気？　んでさあ、十分はたるいでしょ？　だから、T川近辺で、もういいんじゃないかってあたしは思うんだけど。自然に親しむってわけでもないんだしさあ。どう？」

「うーんあたしはそれでもいいけど、みんなは？」

「あーだからー、これから電話してまあ訊いてみるわ。コーイチの馬鹿はさっきからつかまんなくて、話んなんないよ、だからピッチ持たせたのに電源切ってあるしさあ」

コーイチならここにいる、と、喉元まで言葉がでるけれどももちろんそんなことは言わない。モトコのコーちゃん批判をしばらく聞いたあと、電話を切った。長いあいだ受話器を耳にあてすぎて、右耳も左耳もぼんやりと痛かった。

「ひー、モトコって電話まじ長えー。必殺電話女」

コーちゃんが言う。

「でもぜんぶモトコがやってくれてるんだから、たいへんっちゃたいへんなんだよ」

床に寝そべって、天井を見上げる。あたしの家の天井の模様はクッキーに似ている。白いクッキーを隙間なく並べた感じ。コーちゃんはあたしの左足の裏をマッサージしはじめる。

ちゃらんぽらんで、信じられる要素がびっくりするほど少ない。ふらふらしていて、じっとしていることがなくて、ほとんどいつも行方不明状態。何を言ってもうそに聞こえるし、実際、おびただしいうそをつくけれど、うそがうまいかといったら下手な部類で、矛盾したことや筋の通らないことを平気で言う。電話で、モトコはそんなふうなコーちゃん批判をしていた。あーもうやんなっちゃう、あーもうあんな男野良犬以下、と、言っていた。でもあたしは知っている。誠実で、うそなんか絶対に言わず、百パーセント居場所がわかる種類の男を、モトコはひどく嫌悪している。

長尾くんがそうだった。長尾友久はモトコがコーちゃんの前につきあっていた男の子で、神経質そうな、線の細い、愛にあふれた誠実な子だった。いつだって「モトコちゃんモトコちゃん」で、それこそ、ごほうびだけを楽しみに生きながらえているような、座敷犬そのものだった。

モトコは彼とつきあっているあいだ、浮浪者みたいにおもてをほっつき歩いてすごしていた。たまには帰りなよ、と言うと、「だってうざいんだもん」とよく笑っていた。「どこにいってたのかとか何してたのかとかあだあだ電話がきてさあ。あの犬から」

最初は笑って言っていたモトコだったが、次第に笑わなくなり、眉間にしわがよるようになり、あげくのはては、マネキン人形みたいな冷たい表情で長尾くんをこきおろし、それで、彼女いわく彼を「ぼろ雑巾のように捨ててやった」のだった。あたしも彼は嫌いだった。モトコのことで相談にきた彼に、なぐさめの意味をこめてキスをしてあげようとしたら、あたしのことを「フシダラ」と呼んだのだ。だからモトコが彼を「ぼろ雑巾のように捨ててやった」ときはほっとした。

たがいの足裏マッサージを終えて、あたしたちは並んでプレステをする。コーちゃんが持ってきた古いシューティングゲームだ。協力して敵を打ち倒していく。

「あっ、ばか、へたくそー」

「あたしはシューティングなんて嫌いなんだよー」

「あーもうだめじゃーん、また最初からじゃん、だせー」

肩が触れ合うくらいの位置に座り、あたしたちはともに笑い転げたり、小突きあったり、ゲームに興奮して抱き合ったりする。留守番をする小さなこどもみたいに。

2.

小田急線はがら空きだった。マモちんとあたしは先頭車両にのりこみぴったりくっついて座席にすわる。

「雨、降りそう」あたしは言う。

「うん」マモちんは小さく言ってうなずく。

「はまぐりの屋台出てるかなー」

「うーん」

「さざえの壺焼でもいーけどさー」

「うん」

「雨降ってもいいけど、寒くなるのはやだね」

「そうだね」

「そーいえばバーベキューのこと聞いた？　ぱっと簡単にできるかと思ったらそうでもないんだよね、モトコたいへんそうだった、場所捜し、てんぱってたもん」

「あーうん」

ふりむいて窓の外を眺めていると、窓ガラスにぽちんと水滴があたる。

「あーやっぱ降ってきた。降りたら傘買う？　でもさーあたし傘嫌いなんだー、かっぱ買おうか？　あれだとさー、傘ささなくても平気じゃん」

マモちんは何も答えずにあたしの手を握り、窓の外を見る。携帯電話が鳴る。マモちんはあたしとつないでいないほうの手で電話を持ち、低く小さな声で会話する。うん、うん、ううん、うん、あ、そう？　うんまあ。雨は小田急線の窓ガラスにぶつかり、斜めに流れていく。うん、わかった。マモちんの声がすぐ近くで聞こえる。

「だれ？　ナミちゃん？」

携帯をジーンズの尻ポケットにしまったマモちんに訊く。うん、と彼は答える。

「なんだって？　バーベキューのこと？」

「うん、そんなとこ」

マモちんはものすごく無口だ。不機嫌でしゃべらないのではないと知るまでに、一か月近くかかった。ナミちゃんはマモちんとつきあってもう二年近くたつというのに、彼の無口にはまだ慣れないようで、よく嘆いている。

私はね、そりゃべらべらしゃべる男なんかあんまり好きじゃないわよ。でもね、しゃべらないのにも限度があるじゃない、あれじゃあ、何考えてんのかまるきりわかんないわよ、私だって一度くらい、好きだとかきみが大切だとか言ってほしいわよ、私、今度つきあうとしたら絶対に愛情表現が的確にできる人にする。

そんなふうに。

だれかとだれかのでこぼこは、きっとうまい具合に重なりあうようにできているんだろうなあと、彼女たちの恋人批判を聞くたびに思う。もちろん、重なりあわなくても一緒にいることはできるけれど。

マモちんとあたしは手をつないで、向かいの窓ガラスを見つめる。雨粒がぶつかり、まじりあい、直線や曲線を描き、そのまま斜めに流れていく。一瞬、音がすべて消える。女たちの笑い声も、話し声もどこかに吸いこまれるようにして消えていき、あたしはまるで、マモちんと二人、遠い宇宙に放り投げだされたようだ、と思う。

「さざえよりはまぐりだな」

マモちんがぽつりと言って、あたしは声をたてずに笑った。

3.

都心に新しくできたオープンカフェを、待ち合わせ場所として指定したのはモトコで、そんなことでもなければけっして利用しないだろう駅で降り、地図を片手にその店を捜す。車道ぎりぎりまでパラソルつきの丸テーブルがせりだしていて、ほとんどの客は少しでも日光を浴びようとするヨーロッパの人たちみたいに、競って車道にほど近い座席を陣取っていた。陽射しは夏の終わりよりさらに力を弱めているけれど、ひたむきと言っていいくらいのまっすぐさで町じゅうを照らし、並んだパラソルと、座る客たちは、陽射しの反射のせいでときおり、黒い影の塊《かんまり》みたいに見えた。

モトコとナミちゃんはすでにきていて、あたしが気づくより先にあたしの名前を呼んで大きく手をふる。

「酒類は重いから電車降りてから買えばいいと思うのね、それで、バーベキューセットはマモちんが運んでくれるんでしょ？」

「そう言ってたよ、あーうんって、それだけだったけど」

「じゃあ炭はあたしたちで用意する、パラソルと炭はコーイチに持ってもらうから」

モトコは紙ナフキンを広げて、破れないようにボールペンでそっと文字を書きこんでいく。ＢＢＱセット→マモ、炭・パラソル→コーイチ（炭を買っておく）、そんなふうに。あたしは値段のわりに量が少ない上品なアイス・ココアを、しょぼしょぼとすすってそれを見ている。

「問題は肉とか野菜なの。どうする？　三人で分担する？」モトコはあたしたちをのぞきこむ。

「こないだナミちゃんちで焼き肉やったとき、ナミちゃん韓国風味とかタイ風味とか作ってくれたじゃん。あれすごくおいしかったからまた食べたいなー」あたしは言う。ナミちゃんはとんでもなく料理がうまいのだ。

「じゃあ肉は私が用意するよ。五人分だから、いろいろ取り混ぜて二キロ弱あれば平気?」

「えーたいへんじゃない? あらかじめ買っておいて、味付けするんだよ?」

「平気平気! まかせといてよ」

「そしたら野菜は……」

「じゃああたしやる。だって、あたし何もすることなくない? 野菜切って、持っていけばいいんでしょ?」

あたしが言うと、モトコとナミちゃんは同時にあたしをじっと見据える。

「平気? あんた野菜切れる?」

「っていうかどんな野菜持ってけばいいかわかる?」

「いやわかんないよ、モトコ、ナフキンに書いて渡しといたほうがいいよ、ほうれん草とかトマトとか持ってこられても困るんだから」

「わかったわかった、書いておくよ」モトコはあたらしいナフキンに野菜の名前を書いていく。「これじゃはじめてのおつかいだねー」と言って笑う。

「それよかコーちゃんはこられるの？　前みたいにドタキャンしないでしょうね？」

「あーあの男ねー、もうしょうがないよね、ビョーキだよね、あの放浪癖。全然つかまんないの。でもバーベキューは釘さしといたから」

「ピッチ持たせたじゃん？」

「意味ないのよー、それがまったく。首に鈴のほうがましだったかもねー」

「でもさー、コーちゃんはふらふらしてるけど感情がわかりやすくていいよね、モトコが怒ればちゃんとごめんって言うし、話し合いが成立するじゃない、マモちんなんかさー」

「えっ、マモちんやさしいじゃん。今度のこれだって、マモちんがあの重たい重たいバーベキューセットを電車で運んでくれるって言わなければ、ぽしゃってたんだよー」

モトコとナミちゃんはパラソルの下で額をくっつけるようにして夢中で話している。あたしは話に交じりたいのをぐっとこらえて、隣の座席の客が連れている小型犬を眺める。サングラスをかけた若い女の足元で、おとなしく座り、ときおりあたしを見上げて首をかしげる。

犬から目をそらし、自分の恋人を嘆くモトコとナミちゃんをあたしはちらちらと見る。モトコは動物占いでは黒ヒョウだったけれど顔つきはバンビ系で、ナミちゃんはたしかひつじだったけれどキツネ顔だ。去年、まだ専門学校にいっていたとき、ナミちゃんちに泊まりにいって、三人で夢中になって動物占いをやったのだった。友達全部がどんな動物かを書き出して、あたってるだのはずれてるだの、だれとだれが合うだの、夜通し、窓が白く染まるまで。

あたしたちは今まで、そんなふうにして、幾度も幾度も一緒にすごしてきた。彼女たちについてたいていのことなら、あたしは知っている。きっと、これからだってそんなふうにあたしたちは一緒にいるはずだ。だからあたしは、彼女たちが恋人の話でもりあがっているとき、どんなに話に加わりたくてもぐっとこらえなければならない。彼女たちを失いたくないと思うのだったら。

4.

というよりも、あたしはどこかで病気だ。

高校生のとき、リサという友達がいた。二年生で同じクラスになって、あっというまに仲よくなった。週末はどちらかの家に泊まりにいき、夜と朝が入れかわる時間までひとときも休まずにしゃべり、放課後は繁華街や近場の海へいって、たがいの門限ぎりぎりまで一緒にいた。買ったＣＤは全部テープにとって交換し、ほしい本や漫画のリストを作って、二人で分担して買い、まわし読みした。おそろいや色違いで服を買ううち、あたしたちの服の趣味は驚くほど似てしまった。

二年生の後半、リサに恋人ができた。数駅先にある共学校に通う男の子だった。望という女みたいな名前だった。恋人ができてもリサはあたしから離れていくことはなく、ただ、放課後や週末は、望を入れた三人で過ごさなければならなくなった。けっしていやではなかった。望は「すこやか」などという言葉を思いついてしまうくらい健全な気持ちの持ち主だったし、清潔で、あたしにもリサにも同じようにやさしく、あたしたちを笑わせるのが大好きだった。

リサがインフルエンザにかかって、放課後あたしと望は待ち合わせてお見舞にいくことにした。最寄りの繁華街であれこれ言いながら漫画を数冊買い、試聴をくりかえしてCDを買い、デパートの地下でケーキを選んだ。花も買う、と望が言うから花屋で小さなブーケを作ってもらった。荷物を抱えてデパートを出て、リサの家に向かうバス停目指して歩きながら、あたしはのっぺりと広がった空の一点に突き出た、ラブホテルのださい看板を眺め、歩きづめで疲れたから、あそこにいって休もうか、と、そんなようなことを望に言っていた。

望がそのときなんと答えたのかよく覚えていない。覚えているのは、ラブホテルがカサブランカという名前だったことと、望が私と同じく初体験だったことだ。あたしたちは無言のままそのラブホテルに向かい、三時間の休憩料金を割り勘で払い、ぐるぐるまわるまるいベッドで寝た。それからなんとなくリサの家にいくのが億劫になってしまい、一時間延長してベッドの上でケーキを食べ、リサにあげるはずだった漫画を読み、まったく何ごともなかったように、おたがいの学校の話や、テレビ番組の話をした。それから、リサの話も。リサの癖や、リサが怒ったときのこと、爆笑したときのこと。宝物を見せ合うように、あたしたちはリサの話をした。

二人でお見舞をすっぽかしたことで、その日のことはリサにはすぐにばれた。望は馬鹿正直に「カサブランカ」という名前まで白状し、結局、二人はそのことが原因でわかれた。それだけではすまず、リサは残りの高校時代ずっとあたしを無視していたし、彼女の煽動《せんどう》によって、卒業するまであたしはほとんどの同級生にしかとされるはめになった。カサブランカはそのままあたしの蔑称《べっしょう》になっているようだった。

リサに許してもらえなかったことであたしをうらんだらしい望も、自分の学校の男子生徒にあたしのうわさを流しまくり、彼の学校であたしは「やりまん女」として有名だった。いたずら電話もかかってきたし、性欲の塊みたいな高校生が校門で待ち伏せしていることもあった。

三年生の一年間、あたしはひとりぼっちだった。学校と家の単純往復をくりかえしながら、リサと歩いた、もしくは、リサと望と歩いた町や、乗った電車や、寄り道した店なんかを遠いできごとのように思い出した。

専門学校にいくために東京へ出てきて、知り合いがないことにほっとした。あたしを陰でカサブランカと呼ぶ人はいなかったし、やりまんとうわさされることもなかった。

新しい友達がひとり増え、二人増え、日々がどんどん過ぎていくなかで、あたしは急に気づいた。あたしは単純に、まったく犬みたいな単純さで、リサと望が好きだったのだ。リサと望に同じように好かれたかったのだ。いや、リサと望、というよりも、リサと彼女の選んだ恋人に、だ。

そしてそれは今もくりかえされる。間違ったやりかただと思うのにまったく同じことをくりかえす。だれかをすごく好きになり、その子の何もかもを知りたくなる。共有したくなる。どんなスリッパをはいているのか、どんなCDを聴いているのか、どんな男の子／女の子とつきあっているのか。そんなふうなやりかたしか、あたしにはできない。

5.

絶対に晴れますように、というモトコの強い願望のおかげか、ナミちゃんの作ったてるてる坊主のおかげか、それともただ単純にそういう天気図だったのか、バーベキュー予定日は完璧に晴れた。残りかすみたいになった夏とさらっぴんの秋がはっきり入れ替わる日、というのがあるとしたら、それはちょうど今日だ、と思った。

待ち合わせは十時に私鉄沿線の駅だったが、かならず三十分遅れるコーイチには九時半だと伝えておいた。けれどその日にかぎってコーちゃんは九時半ぴったりに駅につき、あたしたちが到着するころにはすっかりふてくされて、ロータリーの噴水の縁で横になっていた。

ぎゃあぎゃあ文句を言う彼を無視して、酒買いだし部隊と、場所とり及び設営係と、炭に火をつける係を決めようと、モトコはてきぱきと指示をだし、あたしたちはおとなしくそれにしたがってジャンケンをする。ジャンケンに負けて酒を買いに

いくのはあたしとマモちんになった。駅前のスーパーにいくために横断歩道を渡りかけたあたしたちを大声で呼び止め、

「ワインは白じゃなくて赤にしてねーっ」

と、ナミちゃんが叫んで大きく手をふる。あたしとマモちんはふりむいて手をふりかえす。

デパートの地下の酒売場で、マモちんはさんざん迷う。ビールの銘柄で悩み、買うべき本数で悩み、ワインの値段で迷い、また本数で迷い、ほかのもの――焼酎とか日本酒とかウィスキーとか――を買うか否かでさらに迷う。あたしが隣で助言しても、うーん、と言ったきり首を傾けて考えこむ。きっと、川原で彼らはとっくにバーベキューセットを組み立てて、もう火もついているかもしれない。酒を抱えて川原についたら真っ先にナミちゃんが、マモちんの優柔不断さについて怒るだろう。

ゆうに三十分はかけて酒を買い終わり、川原に降りていった。川縁は広く、ところどころ雑草が生い茂っていた。いくつかのグループがバーベキューをしていて、あちこちに肉や魚の焦げるにおいが漂っている。モトコたちのグループはそのなかでももっとも騒々しく、重たいビニール袋を抱えて捜しまわる手間が省けた。

騒々しいのは、モトコとコーちゃんが派手にけんかをしているせいだった。彼らは炭のおこしかたについて違う意見を言い合い、言い合いはとっくみあいに発展しかけていた。そうして、あたしたちの姿を見つけたナミちゃんは案の定、

「遅いっ!! マモちんがまたぐずぐずしていたんでしょ？ 遅すぎるから二人がこんなことになったんじゃないのーっ」

と、金切り声をあげてマモちんを責めた。

とりあえずあたしは、ガスコンロで炭を焼いてからのほうが早い、いや互い違いに炭を並べればすぐ火がつくと叫び合い、おたがいの髪を引っ張ったり蹴りを入れ合ったりしているモトコとコーちゃんのあいだに入って彼らをなだめ、遅すぎると言い募っているナミちゃんをなだめ、いそいで紙コップを配ってビールをついでまわる。

「さあとりあえず乾杯、乾杯しよう！ 晴れてよかったねー」

そう言って紙コップを持ち上げると、みんななんとなくつられて紙コップを持ち上げ、かんぱーいと口にしてビールを一気に飲み、照れたように笑う。

まず野菜だ、いや肉だと騒ぎながら、彼らがてんでに網の上にそれらを並べてい

くのを、まるい大きな石の上に腰かけて眺めた。肉の焼けるにおいがし、大量の煙が空へと流れていく。たれを入れた紙皿と箸をモトコが配り、みんなそれぞれの場所に座って、ぺちゃくちゃとしゃべりながら肉や野菜が焼けるのを待つ。三杯目のビールを飲み干すと、体が浮き上がっていくような心地いい酔いを感じた。

空は澄んだ湖の、目を凝らしても見えない底みたいに遠く、厚みのある雲がスローモーションで移動している。陽の光を反射して川面はちらちらと白く青く色をかえ続け、川縁に生い茂る背の高い雑草や林立する木々の緑が、夏のそれとは違うやわらかさで揺れている。川にかかる鉄橋が遠くに見え、ときおり、空と地を切り裂くように銀色の電車が音もなく通りすぎていった。ワインのコルクを抜きながらマモちんが笑い、肉を網に並べながらモトコが笑い、まだ焼けていないピーマンを口に押し込んでコーちゃんが笑い、ビールを飲み干し口に泡をつけてナミちゃんが笑う。ひとつひとつ、たとえば川縁の白いまるい石とか左うしろから聞こえてくるこどもの笑い声とか、遠くを走る銀色の電車、ソフトクリームに似た雲のかたち、そんなものまで含めたすべての細部が重なりあい混じりあって、今この瞬間に、何もかもが完璧であるように思えた。何もせず、ただそこにいるだけで、ほしいものをほしいだけ充分に与えられた、小さなこどものような気分を味わう。コーちゃんがふりかえって私の皿に肉を入れ、あたしは笑ってそれを口に入れ、ふと、あのおもちゃのことを思い出した。はじめて買ってもらった、こどもの自主性や知能や運動能力を伸ばすという、あのどこか退屈なおもちゃ。

あのときあたしはおさない手で、星には星を、ハートにはハートを、三角には三角を、木には木を、ひとつのかたちとそれに合った正しい穴ぼこを捜して正しく押しこみ、そうしながら、言葉にならないけれどどこかで、きっとこれからあたしが抱えていくココロというものは、こんなふうなんだろうと思っていた。あたしのココロには星やまるや木のかたちの空洞がたくさんあって、あたし自身か、もしくはだれかしらが、そこにきちんと正しいかたちの何かをあてはめていってくれるのだろう。ほしいものはいつだってこんなふうにシンプルで、だから、自分のココロを満たしていくのはきっと簡単に違いない。おなかが空いたらごはん。暑かったらアイスクリーム。眠たくなったらタオルケット。退屈ならおもちゃ。さびしければおかあさん。もしくは、恋愛、友情、嫉妬、怒り、悲しみ、満足、世の中からそれに見合った正しいかたちを捜してあてはめていけば、きっと何もかもがうまくいくし、こわいことなんか何もない。

けれど今までだって今だって、あたしのなかで、そんなふうに明確なかたちを持つものなんかただのひとつもありはしない。コーちゃんと一緒に寝てマモちんと手をつないでデートをして、モトコの家で夜通ししゃべってナミちゃんとおいしいケーキを食べて、望とラブホテルでリサの話でもりあがって、いったい自分は何がほしいのか、何がしたいのか、いつまでたったってわからない。だから、あたしのココロは星とかハートとか木とか、そこにあてはめるものが何ひとつ見つからなくていつまでも空洞のままだ。

「ちょっとーコーイチいいかげんにしてよー、これは塩なんだからたれと混ぜないで！」

モトコの金切り声が耳に入る。

「ばーか、おめーは焼き肉奉行《ぶぎょう》かよう、食いたいものを食いたいときに食やーいいだろ、これだから元学級委員はよー」

「何よそれ！　学級委員なんて関係ないじゃん！　前はかっこいいって言ってたくせに！」

　モトコは紙皿をコーイチに向けて投げ、たれが彼のTシャツにひっかかり、コーイチは逆上してつぶした空き缶をモトコめがけて投げる。あっというまに彼らはつかみあいのけんかをはじめる。ワインの瓶が倒れて中身がこぼれ、野菜をのせていた皿がひっくりかえり、止めに入ろうとしたナミちゃんがたれの容器を倒し、そんなすべてが妙に遠くかすんで見えて、そんなに煙が立っているのかと思ったがそうではなくて、あたしは泣いているのだった。――好きなんて気持ちがなければいい。だれかがだれかを好きになるという気持ちなんてなければ、あたしたちは恋だの愛だの友情だの、そんなものを何ひとつ知らないこどもみたいに、いつまでもひっついてじゃれあって暮らしていけるのに。ほしいものをとりあったり、とりかえっこしたりしながら。

「ほらーもう、あんたたちがそんなだから泣いちゃったじゃーん」

「いやー、泣くことないよー、いつものことじゃん、ねー？」

「何泣いてんの、だっせー」

　違う違う、煙たいんだって、目にしみたんだって、あたしは言いながら、何人かの手があたしの頭に触れるのを感じる。どれがだれの手かまったくわからなかったけれど、そのやわらかさはびっくりするほど心地よく、ずいぶん昔、やさしくされてさらに大声で泣いたみたいに、そうするしかできなかったみたいに、意思とは裏腹にさらに涙はこぼれ続ける。

だれかのいとしいひと

休日の午前中だというのに駅のホームにあまりひとけはなく、陽の光は金のリボンみたいに幾筋も静かに降りそそいでいる。電車はいってしまったばかりで、あと十分は待たなくてはいけないらしい。私はベンチに腰かけて、自分の格好と、隣で脚をぶらつかせているチカの格好をときおり見比べてみたりする。

チカは白いもこもこしたコート、その下にピンク色のフレアスカートをはいて、わきに一列苺の絵柄が入った白いタイツをはいている。足元はアニメのキャラクターのズックだ。私はといえば、着古したスタジャンに、よれよれのジーンズで、しかも両方ともツネマサのお古である。ツネマサが捨てようとしていたものをもらい受けたのだが、ジーンズをヒップボーンではいているのはそういうおしゃれでもなんでもなく、ただぶかぶかのウエストがそこでとまるという理由だけで、裾上げにも出そうと思ったままほったらかしにしてあるから裾も折り曲げたままだが、これもまた裾を折り返してジーンズをはく昨今の流行とはなんの関係もない。だから、全体的に古ぼけた、かまわない感じがするのは否めず、それを隣のチカと比べてしまうと、うっかり落ちこんでしまいそうになる。

もこもこコートの下にチカは襟にフリルのついたブラウスと、モヘアの花の縫い取りがたくさん施されたピンクのセーターを着ている。しかもセーターの内側にセーラームーンのペンダントをしているのを私は知っている。コートを脱いだとき、ピンクのセーターにピンクのスカート、という出立《いでた》ちは多少やりすぎの感もあるが、彼女にとってこれほど気合いの入ったおしゃれはないのだ。しかも彼女はこの格好を獲得するために、数十分を母親とのバトルに費やさなければならなかった。

チカは千の夏と書く。私の姉の最初の子どもで、この前の夏に七歳になった。ピンク色とたまご焼が大好きで、チカという名前が嫌いで、どこから拾ってきたのかマフェットちゃんと名乗りたくてたまらず、最近は、姉がときおり買い与える月刊の少女漫画雑誌をむさぼるように読んでいる。その漫画雑誌はかつて、私と姉が幼いころ奪い合うようにして読んでいたものだ。

約束の時間に姉の家までチカを迎えにいくと、バトルの真っ最中だった。姉はチ

カにござっぱりした格好をさせたがり、チカはピンクずくめの格好をしたがってい
た。リビングに幾枚も服が散らばっていた。
　だって今日は映画じゃないのよ、公園で遊ぶのよ？　おっきなブランコ乗ったり
おなかですべるすべり台で遊んだりするんだよ？　そんなスカートはいていったら
パンツ丸見えだよ？　パーカと紺色のパンツ、買ったばかりらしいダウンジャケッ
トを手に姉は説得を試みていた。いや、いや、いや、いや、とチカは下着姿でくり
かえす。じゃあブランコ乗らない、すべり台しない、なんにもしない、だから、だ
から、あたしはこれを着ていくの！
　結局、出かけるのはママじゃない、あたしだ、という涙と鼻水混じりの土張に負
けたのは姉だった。姉はしぶしぶチカの言うとおりの格好——そのロマンチックな
服は全部義母が姉に無断でチカに買い与えたものだ——をさせ、紅茶入りのポット
とお菓子セットとともに私たちを送り出した。たかが郊外の公園にいくだけなのに、
実用性も合理性も他人の目も無視して、頭から足の先までお気に入りの服を着るな
んてことを、私が最後にしたのはいつだろう。
「ねえ、しいちゃん」私の隣で脚をぶらつかせていたチカがふいに私を呼ぶ。のぞ

きこむとどことなく艶《つや》めいた笑顔を見せ、

「ねえ、あれ持ってない？」と訊く。

「あれ？　あれって何よ、チカ」

「チカじゃなーい、ママのいないところではマフェットでいいってば」

「だから、なんなの？」

「ほら、あれよ」チカはじれったそうな表情をし、「爪を、ほら、きらきらさせるやつよ」そうささやいて両手の爪を私の前に差し出す。

「マニキュア？　持ってないけど、なんで？」

チカが何を言わんとしているのか私には理解できない。

「なあーんだ、持ってないのか、がっかり」チカは演技するみたいに肩を落としてうなだれる。「ママはあれやらしてくんないからさ、ひょっとしたらしいちゃんなら持っていたりなんかして、とか思ってさ、そしたら爪きらきらさせようかと思ってさ、でもなあーんだ、ないのか、ないならいいよべつに」

静まりかえったホームにアナウンスが響き渡り、あちこちに静止する帯状の陽の光を切り裂くみたいに銀色の電車がすべりこんできて、私とチカはベンチから立ち上がる。

　待ち合わせの駅から目的地のK公園まで歩いて約十分、私の数メートル先を、ツネマサとチカは並んで歩く。チカはツネマサを見上げて夢中で何か話し、ツネマサはチカの声が聞きとりやすいよう斜めに腰を折り曲げてときおりうなずいている。あんな漫画があったなあ、と、片手にお菓子の入った紙袋、片手にどでかい保温ポット、背中に自分のリュックを背負って歩く私はぼんやりと思う。あんまり好きじゃなかったけれど恋人同士の漫画で、背の高い男の子と背の低い女の子はいつもあんな姿勢でおしゃべりしていたっけなあ。

「コンドウ、コンドウ」

　ふりむいてツネマサが私を呼び、私は歩くスピードを少しはやめて二人に追いつく。

「最近どこのペット屋でもハムスター売ってるってこないだ話してたじゃん、あの理由、わかったぞ、漫画だった」

「え、そうなの？　子ども向けアニメ？」

「だからほら、あそこのさ、きみんちのそばの商店街の、あのさびれたペット屋、あそこにも子どもたちが群がってたじゃん、はやってんだよ今」

「あーだからなのか、あそこもさー、急に店先に水槽並べてさー、それ全部おが屑とハムスターだもんね、なんだろうって思ってたんだけど」

「あんな親父でも、ペット業界のはやりには敏感なんだな」

「今日テレビでやるよ、あのさ、あのさ、ママにビデオ頼んであるから、今度見せてあげるよ！」チカは背伸びをし、声をはりあげて私たちの会話に加わろうとする。

「でもさ、リボンちゃんはだめだよ、リボンちゃんはあたしがやるからねっ」

「ハムスターばやりとなるとあそこの『山本』はますます形勢不利だな」

「最近はおもてにだしてももらえてないしね」

『山本』というのはそのペット屋にいる、どう見ても雑種にしか見えない雄犬で、売れないまま成長してしまった。目の上に内裏雛《だいりびな》みたいな点々があって、それがひどく彼を弱気に見せ、私とツネマサは親しみをこめて売れない彼に『山本』と名づけたのだった。

「あっ、今日じゃない、テレビ今日じゃないや、でもビデオはあるからさっ」話に加わろうとチカはさらに声の音量をあげる。

ブランコにもすべり台にも乗らない、とチカは断言していたが、広々した公園のアスレチックコーナーで、同い年くらいの子どもたちがぎゃあぎゃあ騒ぎながらそれらで遊んでいるのを見ると、うずうずしてきて一目散に仲間に加わり、丸太で組み立てられた家に上がっていったり、縄梯子《なわばしご》でおりてきたり、タイヤブランコの順番待ちをしたり、スカートの中身を惜し気なく見せびらかしながら走りまわった。

私とツネマサは少し離れたところにあるベンチに腰かけ、紅茶を飲みながらそんなチカのようすを眺める。数組の夫婦が、ベンチに腰かけたりアスレチックの近くで肩を寄せあったりしている。

公園内の銀杏の木はかろうじて黄色い葉を残し、まばらな黄色い点々の向こうに、澄んだ高い空がある。雲はなく、風もない。首を傾けてじっと頭上を見ていると、黄色い葉はぴたりと動かず、まるで世界すべてが静止してしまったように思える。私たちもきっと、彼らから見たらどこにでもいる夫婦に見えるんだろうかと私は思う。チカがいなくなってしまうと、とたんに交わす言葉を失う私たちに、けれど日を向ける人はいない。みんな自分たちの子どもを目で追い、あるいは横にいる妻なり夫なりを見て何かしゃべっていた。

もうそろそろ終わるんじゃないか、と数か月前から私は思っていて、きっとツネマサもそう思っているとほぼ確信している。終わる、の主語がなんなのかはよくわからない。私たちのつきあい、といえばそうなんだろうし、関係、という言葉もぴんとはこないが間違ってはいない。いや、主語は不明だがとにかく終わる、私とツネマサは近いうちにまったくの無関係になる。超能力者みたいにはっきりわかる。こんなことははじめてだ。

どうしても性格――生活習慣でもいいし金銭感覚だっていい――があわない、ある一言やある喧嘩が発端で相手をどうしても許せなくなる、ほかに好きな人ができてしまう、あるいはもっと単純にあきた、そういうことならよく知っている。けれど私とツネマサの場合はどれもあてはまらない。理由は思いあたらない。胸の奥の、だれにも触れさせない部分にこっそり訊いてみても、やっぱり思いあたらないのだ。もし神さまというだれかがいたとして、私たちのいろんなことを決定しているとして、その人に急にある時点で「はい、そこまでね」、と言い渡された感じ。それがもっとも近い。

私たちの目の前には壁があってどうしても前に進めない、壁を見ないふりはできるけれど、なくなるわけではなくて顔を上げればいつも壁、二メートルくらいの壁、越えられないこともない、百七十五センチの背丈のツネマサが飛びついてなんとか上にあがって、そこから私をひっぱりあげれば、そんなふうにがむしゃらに挑戦してみればひょっとしたらわけもないくらいの壁で、けれど私たちは手を離して、おたがいに背を向けて、一緒にいればもっと軽々と壁を越えられるだれかを見つけにいく。ひどく近いうちに。

「ツネマサーッ」

チカの声がする。チカは、ロープにぶら下がって移動するアスレチック乗り場にいて、どうやらこわくてそれができないらしく、ツネマサの助けを必要としている。ツネマサはぱっと立ち上がってチカのもとに――まるで童話に出てくるすばらしくかっこいい王子さまみたいに――駆け寄り、彼女がロープにぶら下がるのを手伝っている。うきゃきゃきゃきゃー、という雄叫《おたけ》びに近い笑い声をあげながら、ロープでチカはワイヤーをすべりおりてくる。

実際チカに、ツネマサはすばらしくかっこいい王子さまに見えるんだと思う。そのために着飾り、そのために爪をぬり、そのために母親とバトルをする価値のある男に。

はじめてチカが私たちのデートについてきたのは一年と少し前で、そうしてくれるよう姉にむりやり頼まれたのだった。二人目の子ども——チカより三つ下の男の子——に予防接種を受けさせなくてはならない、土曜なのに夫はどうしても会社へいかねばならず、チカは病院を見ると天と地がひっくりかえるぐらい泣きわめくから連れていきたくない、私が帰ってくるまで家でチカと遊んでいてくれないか、という姉の頼みは私には煩わしいものでしかなかった。休みの日でも平日でも、時間があれば私はツネマサと一緒にいたかった。その日だってとっくにデートの約束をしてあった。

ずっと前からほしかった姉のターコイズのネックレスをもらうという取り引きまでしたすえ、しぶしぶチカをデートに連れていったのだった。その日、繁華街で買いものをするという予定をかえて、私たちは動物園にいった。しかしチカは人見知りして、ちらちらとツネマサをうかがうだけでろくに言葉も発することなく、私の手を痛いほど握りしめて一日を過ごした。「おれきらわれちゃったかなあ」ツネマサは言い、「そんなふうに男の声でしゃべるからだめなんだよ、もっとやさしい声で、おれとか言わないで話しかけてごらんよ」私は言い、「あたしのことぎらい？　チカちゃん？」ツネマサは作り声でチカをのぞきこんで、ようやくその日チカは声をたてずに笑った。

下の男の子が成長していくにつれて姉にはあれやこれやと用ができ、自分の実家は遠方にあり、近所に住む夫の実家には遠慮している姉が頼るのはいつも私で、一、二か月に一度、チカはデートに加わることになった。そのたび、私は姉からワンピースや香水や、ストールやCDをせしめることに成功した。チカは驚くほどの速さでツネマサになじみ、三回目に会ったときには彼の恋人気取りでおしゃれをしてきたし、その次には私より彼とばかり手をつなぎたがった。

チカをデートに連れていくのに姉に物品を要求しなくなったのはいつからだろう、頼まれてもいないのにデートにチカを連れ出すようになったのはいつからだろう、チカなしで会話が成立しなくなったのはいつからだろう、チカと同様、この私の目にも彼が、すばらしくかっこいい王子さまみたいに映ってほしいと願うようになったのはいつからだろう。

肩で息をして笑い転げるチカと、チカのもこもこコートを持ったツネマサが私に手をふりながら歩いてきて、私はふと、既視感を覚える。自分の目線がチカのそれで、ここに座っているのは、ゆるくウェーブのかかった長い髪の、いいにおいのする女の人だ。

長岡昌子さん。子どものころに埋めたビー玉を土のなかに発見するときのような驚きで、私は長いこと思い出しもしなかったその名前を思い出す。

長岡昌子さんは父親の恋人だった、のだろうと今になれば思う。もちろんそのときは、この人はおとうさんの恋人だよ、なんて紹介されたわけじゃない。はじめて彼女に会った日、ナガオカマサコさん、と父親は紹介しそれ以上何も言わなかったので、彼女はナガオカマサコさんでしかなかった。

長岡昌子さんに会うときは、私はいつもワンピースを着せられた。そうして待ち合わせ場所に向かう道すがら、「おとうさんじゃなくてパパって呼んでよ、しいちゃん」と父はいつものどこか頼りないやわらかい声で言った。私は言われたとおり、どこかくすぐったい思いをこらえて彼をパパと呼び、長岡昌子さんは父をコンドウくんと呼んだ。コンドウくんと呼ばれる父は実際よりもっと若い、知らない男の人みたいだった。

だいたい月に一度の割合でおとずれるその日は映画の日でもあった。父親は母に、しいちゃんを映画に連れていくと言っていて、実際長岡昌子さんと父親と私は毎月映画を観た。SF映画。アニメ映画。コメディ。ディズニー。まるで三人きりの映画研究会のように、私たちは律儀に映画を観、レストランで食事をしながら感想を述べあった。長岡昌子さんのアパートにもよくいった。私の家に比べたら小さなこざっぱりしたアパートだった。小さなガラスのテーブルで長岡昌子さんの作った料理を三人で食べた。長岡昌子さんは母より料理がうまかった。そのときはそう思っていた。私はそのとき四、五歳で、早生まれというせいもあったんだろうが全体的にぼんやりした子どもだった。父親が月に一度会わせてくれる見知らぬ女性についで、あれこれ考えをめぐらせるような、神経の鋭い子どもではけっしてなかった。幼稚園の先生が最初から先生であるように、うちから電車で三十分の小さな町に住むおばあちゃんが最初からおばあちゃんであるように、彼女は最初から、一緒に映画を観るただのナガオカマサコさんだった。ひょっとしたら父親は、私の口から見知らぬ女の名前が出て自分の行状がばれ、それをきっかけに自分の思うようにことが進むのでは、といった類の甘い希望を抱いていたのかもしれないが、母親は月に一度の映画の日について何も質問しなかったし、ナガオカマサコさんについて何も不審に思わなかった私もまた母に報告することはなかった。だから、表面上は私たちの家庭は何も問題なく、問題提起はなされないまま、映画の会は一年とちょっと続いた。最後のほうは、一か月おきが二か月おきになり、あるときそれきりになった。

あれは父親の恋人だったのだと私が気づくのはもっとずっとあと、高校を卒業するころで、しかもそのころには彼女の記憶はひどく曖昧になっていた。幼いころくりかえし見た夢のような淡さで、それもすぐに忘れてしまった。コンドウくんと呼ばれていた父の、別人みたいだった姿も、パパと呼ぶときの照れくさいような気持ちも。

私とツネマサとチカは芝生に座り、姉の持たせてくれた甘い紅茶を飲む。チカがお菓子袋をあけると、ポテトチップスとチョコレートのパイ菓子、アルミホイルにつつんだおむすびが出てきた。

「マフェットちゃん何食べる？」ツネマサが訊き、秘密の別名で呼ばれたことに上機嫌でチカはポテトチップスを指す。

「ああビール飲みたいなー」ツネマサは寝転がってうんと高い空を見上げる。

「売店あったから買ってこようか？」

「いいよ、あとで自分でいくよ」ツネマサは言うが、私は財布を持って立ち上がる。

「トイレいくからさ、ついでに買ってくるよ」

芝生を少し歩いてふりかえる。芝生には、舞い落ちる黄色い葉が絨緞《じゅうたん》のように敷き詰められていて、ツネマサとチカはなんだか絵本の挿絵みたいに見えた。

ふいに思い出した父とその恋人との記憶のなかに、混じりきらず飛び出した光景がある。それがなんなのか思い出したくて、私はわざと遠まわりして売店へと向かう。マイ・スウィート・ハニー。そんな言葉を思い出す。マイ・スウィート・ハニー。つぶやいてみる。なんだっけ？　どこで聞いたんだっけ？　三人で観た映画ではないし、父の発した言葉でもない。

同じ色のマフラーを首にぐるぐる巻きにしたカップルが、自転車に二人乗りして通りすぎる。男の子の腰に両手をまわした女の子は奇声をあげて笑い続けていて、男の子はときおり、ばーか、とか、うるせー、とか叫び、私の思考を中断させる。あんなにあからさまに浮かれてるってことははじめてのデートなのかなあ、と彼らを見送って思い、ああ、そうだ、そうだった、と、急に記憶のつじつまがぴったりとあって私は声をあげそうになる。

私は長岡昌子さんの部屋で男の人に会ったことがある。兄よ、おにいさん。長岡昌子さんはそう言った。

私がなぜ長岡昌子さんのアパートにいったのか思い出せない。そのとき私は幼稚園の年長か、小学校一年くらいだった。父とともに幾度も訪れたとはいえ、そんな子どもが電車かバスを乗り継いでひとりきりでいけるものだろうか。それとも、長岡昌子さんのアパートは私たちの家の近所だったんだろうか。

意を決しての家出だったのかもしれない、あるいは、長岡昌子さんに急に会いたくなったのかもしれない、それとも父に何か頼まれてアパートへいったのだろうか？　理由は思い出せないがとにかく、私はひとりきりで彼女のアパートを訪ねた。長岡昌子さんは部屋にいた。たしか、私を見て驚いたような気がする。けれど部屋にいれてくれた。そうしてガラステーブルの、いつも父が座っていた場所に、知らない男の人が座っていた。すっきりした顔立ちの、背の高い、痩せた、指の長い男の人だった。父よりもうんと若く見えた。「この人は兄よ、おにいさん。私のおにいさん」長岡昌子さんは男の人を指してそう言った。「この人はぼくの」私をのぞきこみ、長岡昌子さんのまねをするように男の人は言ったのだ、「ぼくのスウィート・ハニー、マイ・スウィート・ハニーだよ」。

それを受けて長岡昌子さんは馬鹿笑いした。それだけでなく、男の人におおいかぶさるようにして笑いながら彼の肩を幾度もたたいた。それは私の聞いたことのない笑い声で、見たことのない態度で、けれどそれは私を不安にはさせず、なぜか安心させた。ここへがんばってきたことは間違いじゃなくて、だれにも怒られることなんかないんだ、と思わせた。

おもては晴れていた。長岡昌子さんの部屋には大きな窓があって、ずいぶん立派な木が見えた。桜の花はとうに散って、薄緑の葉が陽を受けてちかちか笑うみたいに光っていた。——ああそうだ、あれは春の日だったんだ、私は小学校にあがったばかりで、バスで通わなければならなかったその小学校は偶然にも長岡昌子さんのアパートの近くにあったんだ、私は学校のすべてになじめず、そこから逃げ出すことばかり考えていて、ある日本当に学校を抜け出し、家に帰るに帰れず学校の周囲をぐるぐると歩き、見覚えのある道、見覚えのある建物を見つけ、そこが長岡昌子さんの家に違いないと確信してインターホンを押したのだった。インターホンを押すためにドアノブに支えられるようにして背伸びしなければならなかったことや、もし知らない人が出てきたら道に迷ったふりをしようと決めていたことまで、私は鮮明に思い出す。そうして、あらわれたのは長岡昌子さんだった。目の前に立っているのが長岡昌子さんだったことに安心して私は泣きそうになり、長岡昌子さんはしゃがみこみ私に目線をあわせ、しいちゃんじゃないの、どうしたの、なんだかずいぶん大きくなったわねえ、ひとりできたの？　どうやってきたの？　と聞き覚えのあるやわらかい声で言って、さらに私は泣きだしたくなったんだった。そうだ、月一回の映画の会がとりやめになってしばらくしてからのことだ——。

その日、夕方まで何をするでもなく私はそこにいた。おにいさんという人と長岡昌子さんはずっとふざけてはしゃいでいた。おにいさんはその日じゅう彼女のことを「マイ・スウィート・ハニーちゃん」と呼んでは彼女を笑わせ、彼女は彼を「おにいちゃん」と呼んでは笑い転げ、私のことをしいちゃん、ではなくキティちゃん、などと呼んでまた二人で笑うのだった。

三人で早めの夜ごはんを食べた。ガラステーブルに長岡昌子さんの手料理が並んだ。メニューは覚えていないけれどそのとき、おかあさんのごはんよりすごくおいしいっていうわけでもない、と思ったことは覚えている。窓の外は紺色で、ガラス窓に私たち三人の姿がぼんやり映っていた。おにいちゃんとマイ・スウィート・ハニーとキティちゃん。だれでもない私たち。どこでもつながってない三人。二度とくりかえされることはない食事。

夜になって、近くのバス停まで長岡昌子さんが送ってきてくれて、どのような手筈《てはず》が整えられていたのか、会社帰りのおとうさんに引き渡された。長岡昌子さんとおとうさんはあんまり言葉を交わさなかった。家に向かうバスのなかで、おとうさんは私に何も訊かなかった。その日はすばらしい一日だったけれど、もうあの場所へはいっちゃいけないんだとなぜだか私はまっすぐに理解した。

日がたつにつれ、あの日のことは、まるであのとき窓ガラスに映った私たちの姿みたいにぼやけて、薄くなり、やがておもての闇に溶けていくように日々の隙間に消えた。

売店で、ビールと焼きそば、おでんを買って芝生に戻る。ツネマサとチカは並んで寝転がり、空を見上げている。

「さっきさあ、あんたのうしろ姿見てたら、ちっちゃくなった自分が歩いていくみたいな気がしておかしかった、だってそれ、全部おれの服だろ？　おお、ドッペルゲンガー、って感じだったよ」上半身を起こし、ビールのプルタブをあけてツネマサは言い、続けて、「しいちゃんは女の子なんだからもっとかわいい感じにしたほうがいいとあたしは思う」チカが真剣なおももちで忠告してくれるので、私たちは笑いだす。

遠く、巨大なもみの木の下で、小さな子どもたちが落ち葉をかき集め、それをまき散らして遊んでいる。風はないのに、両腕を広げたような銀杏の木から、はらはらと黄色い葉が落ちていく。雪みたいに。涙みたいに。

私たちはまるくなって座り、姉のおむすびや、焼きそばやおでんを食べた。広大な芝生の上では、私たちと同じようにカップルや家族連れが食事をしていた。おでんの卵を半分ずつにしているツネマサとチカを見ていて、もし、と私は考える。もし私とツネマサがケッコンなんかしたら、そういうことを目標にしている二人だったら、ここにいる、チカと私たちの関係はまるで違うものになる。ここに座る三人は、意思とは関係なく、もっと確固としたもので結ばれているはずなのだろう。確固とした関係性を持つ私たちなんて、まるで想像ができないけれど。

　私は芝生に寝転がる。澄みきった空の端に、黄色い葉が浮かんでいる。

「しいちゃん、やきそば食べちゃうよ」

「おう、食べちゃえ食べちゃえ」

　ツネマサとチカの声が遠く聞こえて、長岡昌子さんはどこでどうしているんだろうと思う。そうしてあの「おにいちゃん」は。おたがいに会う必要などまるでなかったのに私たちは出会い、一瞬ですれ違い、きっと今はもう、レストランで隣り合わせに座ってもたがいがたがいだと気づくこともないんだろう。しかし土のなかに光るビー玉を見つけるように私は——きっと彼らも、幻みたいにあのときを突然思い出す。映画館の行列やガラステーブルでの食事や窓に映った私たちの姿なんかを思い出し、ほかのどんな記憶よりいとしく、なつかしく、こわれやすい小さなものみたいにそれを抱える。

「しいちゃんほらこれ、食べないとツネマサが食べちゃう」チカは言っておむすびを私に押しつけてくる。寝転がったまま受け取り、空を見上げて私はそれを口に入れる。

「チカ、大きくなったらなんになりたい」そう訊くと、空を見上げたままの私の目の前にチカが顔をぬっと突き出し、

「マフェットちゃんでしょ」と念押ししたあと、「あたしはお嫁さんよ。そう決めてあるの」と真面目くさった顔で言う。

チカはきっともうツネマサに会うことはないだろう。チカが彼をどんなに好きでも、自分からたずねていかないかぎりもう二度と会えない。けれどきっと、それを憂うより先にチカは忘れてしまう、ツネマサという名前も、おしゃれするために母親とくりひろげたバトルも、ツネマサの大きな掌の感触も、三人ですごした時間も。それであるとき、——だれかをどうしようもなく好きになったり、それでもどうにもならないということがあるんだと知ったあとで、土に埋もれた幼い宝物を見つけるように思い出すに違いない。ひどく短い時期、ともにときをすごしただれかと、

そのだれかのいとしい人と、何も知らずにそこにいた自分自身を。

　ゴミをかたづけて、私たちは芝生をあとにする。芝生の向こうに水の広場があるんだって、そこにいく？　それとも鳥の広場？　えー鳥の広場って鳥がいるの？　チカとツネマサは公園の地図を広げて言葉を交わす。チカはツネマサの手を右手で握りしめ、左手を伸ばしてきて私の手をとろうとする。私はそれをふりはらう。

「私はチカとは手はつながない！　私もツネマサとつなぐ！」私はわざと声をはりあげて言い、チカの反対側にまわってツネマサの手を強く握った。ツネマサは驚いたような顔をして私を見る。かまわない。

「えーずるーい、チカ、まんなかがいい！」

「だーめ、まんなかはツネマサ！　そうすればずるくないでしょ？　私たちは二人ともツネマサと手をつなげるでしょ？」

「そうだけどおー、なんかずるーい」

「ずるくないってば、マフェットちゃん」

「なんだ、おまえら。ひょっとしておれもてもて？」私たちは笑う。手をつないだまま、惜しみのない陽射しを受けて、背をまるめ、声をあたりに響かせて、この一瞬、世界じゅうで一番幸福な家族みたいに笑い続ける。

誕生日休暇

溶岩のいまだ流れ続ける火山を見ようと思った。富士山より高い山の頂の天文台から星空を見ようと思った。澄んだ海面から魚の群れを見ようと思った。

――そうじゃない。ほんとうは、見たいものなんか何もなかった。やりたいことも、食べたいものも、買いたいものも、なんにもなかった。そう気づきたくなくて、試験前の学生みたいにガイドブックをひっくりかえし、この店のパンケーキを食べてみよう、だの、このショッピング・モールにいってみよう、だの、どこか必死になって気持ちを浮き立たせた。星空を見ようとかヘリコプターから火山を見ようとか。

去年中途採用で入社した会社には、誕生日休暇という特典がついており、誕生日とその前後一日ずつ、休みをくれるのだった。今年の誕生日、その前後三日の直前に休日、土日と続き、結果連続六日間の休みがとれることになる。

休みをとるつもりはなかった。誕生日休暇だって、休まなければならないということはない。だから私はいつもどおり働くつもりでいたのだが、会社のほとんどの人間——とくに年の近い女の子たちは、有休をつかわないなんて頭がどうかしているか、心身共に病んでいる、と信じこんでいるようなふしがあって、実際のところ私は頭がおかしくかつ心身共に病んでいるのかもしれないが、周囲の人にそう宣言する気にはなれず、職場の雰囲気に迎合するかたちで、しぶしぶ休みをとるはめになってしまった。

しかし連続六日間の休みは、三か月前から悩みの種で、さて何をしよう、毎日部屋で寝ていようか、そんなことをしたらひたすら落ちこんでいきそうだ、とか、実家に帰って姉の子供の面倒でもみようか、でも母と姉による例の「いい人はいないのか」攻撃を六日間やりすごす自信はない、とか、自分でもなさけなくなるくらいくよくよ考えずにはいられなかった。

旅行にいったらいいわよ、とすすめてくれたのが、向かいの席のよう子さんで、ハワイがいい、モルジブやタヒチだと六日間ではきつすぎるし、グアムやサイパンで六日間は長い、やっぱりハワイが一番、と力説したのが、同期のくりちゃんで、いったいどのような情報網を持つのか、顔と名前の一致しない先輩——たしかよう子さんと同い年の人だ——がハワイ通だとかでパンフレットを山のように届けてくれ、そしてまわりまわって、したしく口をきいたこともない男性社員がメールで、チケットを安くとってあげると言ってきた。

ハワイにいくと聞きました。チケットのことを長山さんから聞かれましたが、金曜日のフライトならたぶん大丈夫だと思います。オアフでいいんでしたよね？　ほかの島でしたら、チケットはこちらで用意できませんが、当日、向こうのカウンターでそのまま買えると思います。なので一応、ホノルルまでを確保しますね。帰りは水曜でいいですか。ひょっとしたらいきの便が混んでいるかもしれないので、もし、金曜出発水曜戻りに、変更が生じました場合早めに教えてください。

こうした内容のメールを、私はしばし呆然と眺めた。長山さんがだれなのかもわからなかったし、この男性社員がなぜ格安チケット屋のようなことをしているのかも不可解、だいいち、よう子さんの、旅行にいったらいいわよ、という一言にすら私はまだ答えていないというのに。

しかし断ることを考えると、さらに気が重くなった。旅行は性に合わないんですとよう子さんに言い、ひとりでハワイはかなしいよとくりちゃんに言い、ほかの予定ができましたのでとなんとか先輩にパンフレットを返し、長山さんを捜し出してあやまり、ハワイの件私は何も知りませんとメールで知らないだれかに返信を送る。そんな手間をかけるよりは、いっそのこと、ハワイでもどこでもいってしまったほうがいいんじゃないかと思えてきた。

かくして私はパンフレットを家に持ち帰り、試験勉強のごとく読みあさり、オアフやマウイのリゾートにひとりのこのこいく気になれなかったので、ハワイ島の、ハワイ一降雨量が多いという、もっともハワイらしくない小さな町を選びだし、よし、誕生日はここで迎える、と決心したのだった。そう決めてみると、あらためて自分の小心ものぶりを実感せざるを得なくて、誕生日が少しだけのろわしく感じられもした。

決めてしまうとしかし、私の小心さとも意志ともまったく関係なく、話はとんとん拍子にすすんでいった。チケットは神崎さん――というのがメールをくれた男の人で、彼の恋人が旅行代理店に勤務しているらしかった――がほんとうに驚くほど格安で用意してくれ、オアフ―ハワイ島間の往復チケット、およびホテルはハワイ通の中林さんが神業《かみわざ》のごとく予約してくれた。私はものごとがそんなふうにすすんでいくのをただぽかんと眺め、家に帰ってまたしても受験生のごとく、今度はガイドブックを読みふけって、自分の気持ちをもりあげなければならなかった。

雨はついた初日から降り続いている。降ってはやみ、晴れ間がさしこんだかと思うとまたしずしずと、気づかれないよう降りはじめている。

中林さんが予約してくれたのは、海沿いに建つこぢんまりしたホテルで、部屋の中央の大きな窓の向こうには、何にも遮られず海が広がっている。ベランダに出て見下ろすと、底にイルカの絵が描かれた小さなプールと、芝生の敷き詰められた庭が見えた。

ハワイ一降雨量の多い小さな町は、海はあるがビーチはなく、どこかくたびれさびれていて、シャッターをおろした店がいくつもあり、ゴーストタウンを思わせた。町を歩く旅行者の姿はまったくといっていいほど見かけず、ホテルにいてもそれは同じことで、イルカのプールで泳いでいる人もなく、バイキング形式の朝食を食べにいっても従業員ばかりが多くて、がらんとしたレストランで、居心地悪くべーっンだの卵だのをとりにいかねばならなかった。ときおり宿泊客と覚しき人々と廊下やエレベーターで出くわすが、なぜか、彼らはみな一様に老年で、一日か二日ののちに姿を消していった。

二日三日たつとすっかり気が滅入ってしまい、天文台ツアーも、火山を見るヘリコプター・ツアーも申しこむ気力が萎《な》え、ショッピング・モールへいく気すらなく——第一その巨大モールへいくには、ホテルからモールいき専用の無料シャトル・バスを呼ばなければならないのだ——毎日部屋でテレビを見、窓から海を眺め、夕食時にレストランまでおりていってひとり居心地悪く食事をする、そのくりかえしになってきた。

くるんじゃなかったと、認めたくなかったが思いはじめていた。なじみのあるもの、自分のものだと言えるもの、それらが何ひとつない場所で、私は途方に暮れはじめていた。老齢の、しずかに会話をしおだやかに笑うパッケージ・ツアーの客たち、暇をもてあましてカウンターの内側でおしゃべりに興じるスタッフたち、夕食時、ぽつりぽつりといるだけの客を相手にショーを見せる若いフラの踊り手たち、もしくは、ホテルの前の小さなパン屋で毎日店番をしている太った青年、ホテルのホールで行われる地元の催し物に参加しにきた小学生たち、私の周囲で動く彼らは、皆、それぞれきちんと役割を与えられていて、それを忠実に、たのしんでこなしているように見えた。私だけがひとり、役割を与えられず、なんの指示も受けず、彼らの合間にほうっておかれている気がした。

月曜日の夜だった。レストランで食事を終えて、そのまま部屋に帰る気がせず、最上階にあるバーに足を踏みいれてみた。バーにひとりで入っていくには勇気が必要だったが、部屋でテレビのスイッチをいれたら、果てしなく落ちこんでいく予感がしていた。旅行なんて言い出したよう子さんをうらみ、チケットを予約した神崎さんのすばやさをうらみ、それは結局のところ自分へと跳ね返ってきて、あげく誕生日休暇のある会社に入社したことを見当違いにも後悔しはじめるという、地獄の自己嫌悪巡りがはじまるよりは、バーで緊張しながらも酒をかっくらっていたほうがましだった。

バーにひとけはなく、窓際のカウンター席に案内され、私はビールを頼んだ。日の前の、夜景がすっぽりおさまる巨大ガラス窓に、所在無げにしている私自身が映っている。ところどころぽつりと明かりが灯っているほかは真っ暗という、あんまりゴージャスではない夜景を見つめて、きんと冷えたビールをひとり飲んだ。

月曜日。いつもだったら、七時すぎに会社を出て、そのままデパートの地下で惣菜を二、三種類買い、混んだ地下鉄に揺られて家を目指し、ビデオを一本借りている。ビールを飲みながら惣菜をつつき、ビデオを見る、それが私の月曜日だ。

そんなふうに私の一週間は習慣で成り立っている。

火曜はいつも残業がないから料理を作って食べる。水曜はかならず残業なのでくりちゃんと外食をし、十時近くに帰って、時間をかけて風呂に入る。木曜は簡単なつまみをこしらえ、テレビを見ながらビール、返事を書き忘れていたメールをまとめて書いて、少しだけ夜ふかしをする、金曜日はワインの日。帰り道の酒屋で、じっくり選んでワインを一本、近所の惣菜屋でワインに合いそうなものを買って、心ゆくまで酔っ払う。

毎日は秩序だっていて、混乱や変更や突然の空白はありえない。もうずっと、こんなふうに私は暮らしている。そうしているかぎり、私は安心していられる。へんな疑問を抱くこともないし——この先自分はどうなっていくんだろうとか、だれも好きになれないんじゃないかとか——、時間をもてあまして途方に暮れることもない。

もうずっと——いつからだろう？　窓の外の、家の明かりにも似た橙色《だいだい》の星の光を見つめて考えてみる。考えるまでもない、すぐに思いあたる。二年前に恋人とわかれてからだ。恋人とつきあっているとき、どうしてだかわからないけれど私はくたくたに疲れていて、それでわかれ話を持ち出したのだった。あなたに合わせるのはもういやだ、と、そんなことを私は言った。ほんとうにそう思っていたわけではなくて——実際私が合わせていたのかも疑問だ——、その疲労の原因を彼のせいにしたかったのだ。

ビールを飲み干すと、初老のウエイターがおとなしい羊みたいに音もなく近づき、おかわりはどうかと訊く。ビールをもう一杯頼んで、彼がまたひっそりとカウンターへ向かうのを見送り、バーになんの音楽もかかっていないことに気づいた。静まりかえっている。ジョッキにビールを注ぐ音と、冷房がまわる乾いた音が、遠慮がちにバーを満たしている。

恋人とわかれてすぐ私は生活たてなおし計画をたて、その日から実行に移した。夜更かししない。二日酔いが残るほど平日に酒を飲まない。文化に触れる。女友達との約束をやぶらない。今考えると笑えてくるが、恋人といるときの私は、眠るのがもったいなくて朝までおしゃべりに興じ、こどものような気軽さで深夜までともに飲み、ビデオも絵画も映画も音楽も、何もかも遠ざけて恋人ばかりを見て、女友達の約束を平気ですっぽかした。恋人のことがそれくらい好きだったが、きれいに反比例してそんな自分が大嫌いになった。

最初のうち、生活たてなおし計画はとてもつらかった。ばかみたいに思えたし、自分がひどく年老いたように思えた。けれど一年も続けると系統だった日々は心地よくなり、二年たった今では、秩序のない日々というものを想像することができない。月曜日にビデオを見ずにいたりとか、金曜日にワインを飲まないとか、あるいは、だれかとすごすために眠気を我慢したり、電話を待って時間をつぶしたり、そんなことをしている自分を思い描くことができない。

「ここに座ってもいいですか」

日本語で訊かれ、ふり向くと男が立っている。彼は笑顔で、私の隣のカウンター席を指している。

「どうぞ」声を出すと、生まれてはじめてしゃべったみたいな気がした。

「なんだかずいぶん空いているから、離れた席に座っているのも、かえって不自然かなと思って」

男は言った。ナンパだろうかと思ったが、男の話しかたにあんまり他意は感じられなかった。じつのところどうでもよかったのだが。

ビールを持ってきたウエイターに男はワインを頼んだ。グラスではなく、ボトルで。

たばこに火をつけ、窓の向こうに目を凝らしている男を私は横目で観察した。短い髪、おだやかな顔つき。たばこはマルボロで、ジーンズはエドウィンだった。什事できているんだろう、と私は想像した。ワインが運ばれてきて、ウエイターがどこかもったいぶったしぐさでそれをグラスにそそぎ、男は口をつけて私を見る。

「ご旅行ですか」男は訊いた。

「そうです」私は答える。誕生日休暇で、と言おうとして、やめた。

「静かな町ですよね」

「ええ、静かすぎるくらいです」

それきり私たちは黙ってそれぞれの酒をちびちびと飲んだ。窓ガラスの向こうで、小さな町の明かりが静止している。男と隣り合って座り、こうして黙っているのも意識しているみたいでへんだ、そんなことを考えて私は口を開く。

「お仕事ですか」

「いいえ」男は言って私を見、ささやかないたずらをしたこどものような顔で「結婚式で」と言った。

「え？　お友達の？　それともご自身の？」男の答えが意外だったので思わず訊いた。

「自分のです、あの、もしよければワイン飲みませんか」

男は私の空《から》になったビールジョッキをさして言う。ウエイターが重々しく持ってきてくれた大振りのワイングラスで、私たちはなんとなく乾杯をした。

「おめでとうございます」私は言った。

「いえいえ」男は笑う。

「いつですか、お式は」

「明日」男は言う。「町にいきましたか？　図書館の近くに、セント・ジョゼフって教会があるんですけど、そこでやるんです。もしよかったらきてください」

「明日？　花嫁さんは？」

「ああ、隣の、ベイ・ホテルのほうに泊まってます。早々と寝てしまって。ぼくは眠たくないし、ベイ・ホテルのバーは飽きちゃったから、隣のホテルまできてみたわけ」

　早口の英語で言葉を交わしながら新しい客が入ってくる。日にやけた男女で、五歳くらいの男の子を連れている。彼らはテーブル席に座り、顔を寄せて休むことなく会話を続ける。それを聞きながら私は隣の席の、明日結婚するという男をまじまじと眺めた。たぶんもう二度と会うこともないだろう男と話すのは面倒でもあり、同時に、こんなさびれた町で式をあげる彼にあれこれと訊いてみたくもあった。男がワインをつぎたしてくれ、私はそれを一口飲んで、自分の興味を満たすほうを選んだ。もう二度と会うこともないだろうと思えば、会話に気をつかう必要もなかった。

「どうしてまたハワイで？　失礼な質問ですけど、ハワイももっとにぎやかな場所があるのに、どうしてまたこんなに静かなところで」

「逆ですよ、にぎやかにしたくなかった、知人にきてほしくなかった、大きな教会が空く日取りを待つ時間もなくて、でも、式はあげたかった」

「なんだかわけありみたいですね」

背後の席でこどもが駄々をこね、母親らしき女が叱り、父親らしき男が女をなだめている、その光景が窓ガラスに映っている。

「ばかみたいな話をしてもいいですか」窓ガラスの光景を見ていた男がふと口を開く。

「どうぞ」私は言って、「ぜひ」とつけ加えた。どことなく、わくわくしている自分に気づいた。火山見物より天文台ツアーより、明日結婚する男の「ばかみたい」らしい話に私は興奮しているのだった。

男はライターを両手でもてあそびながら、うつむいて、口を開く。

「結婚の約束をしていた彼女がいまして。二十歳のときから、きっかり十年つきあった。仮に彼女をたえ子さんとしましょう。十年、喧嘩もなかったし、二人の関係はどこか運命的であるとすらたがいに思っていた。運命的っていうのはつまり、一緒にいるのは決まっていたことで、わかれることもないんだろう、という感じ」

「ばっちり、ってことですよね」そのたえ子さんが新婦ではないらしいとうすうす気づきつつ私は相槌を打つ。

「そう。ばっちり。二十そこそこのとき、三十歳になってもつきあっていたら結婚しようとぼくらは約束していたんです。その後、それをいちいち確認する必要もないくらいうまくいっていた。それで彼女の三十歳の誕生日の日、冬の日だったんですけどね、ぼくらは仕事帰りにデートの約束をしていた、八時に新宿。彼女に内緒で用意してたんですよ、指輪」そこで男はくすくす笑った。何がおかしいのかわからなかったが、とりあえず私も一緒に笑ってみた。「その日ぼくの乗った地下鉄が、人身事故とかで運悪く止まってしまって、タクシーに乗り換えてもよけい時間がかかりそうだし、とりあえず、彼女の携帯に電話をしてみた。少し遅れるって言ったら彼女、ぜんぜんかまわないと言ってくれたんで、そのまま、止まった電車でばかみたいにぼくは待ってた。結局、三十分くらいで電車は走りだしたんだけど、この三十分間、たえ子さんにはべつなストーリーが展開していて」

　言いながら男は自分と私のグラスにワインをそそぐ。ボトルはそれで空になった。男がウエイターにあたらしいボトルを頼むのを、じれったい思いで私は待った。テーブル席の男女は何か言い合いをはじめている。ときおり声をあらげ、あわてて声のトーンを落とし、男の子はいすに深く腰かけて、小さくすすり泣いている。

「べつなストーリーって」ワイングラスに口をつける男をせかすように私は訊いた。

「その冬の日、雪が降りそうなくらい寒かったその日、待ち合わせ場所は新宿南口のスターバックスで、でもあいにく、スターバックスは満席、たえ子さんはしょうがなくコーヒーを買って、外でずっと待ってた。植え込みの柵に腰かけて、寒さに震えながら。たえ子さんは三十回目の誕生日にかつての結婚話が持ち上がるなんて、思ってもみなかった。そりゃいつかは結婚するんだろうけれど、その日、電車に閉じこめられている恋人が指輪を用意しているなんて、想像もしていなかった。

八時を二十分くらいすぎてもスターバックスに空席はなくて、とりあえずこの寒さに我慢できない、どこかべつの場所に移って、それから携帯でその場所を伝えよう、そう思ったとき、彼女は名前を呼び止められたんだな、ぼくだと思って見上げるとそこに立っていたのは昔々の恋人、十代のころつきあっていた男の子だった。十年ぶりだったけどあんまりかわっていなかった。じつは彼女、十九のとき、少々いやなやりかたでこの男の子をふってしまったらしくて、ときどき思い出しては、悪いことしたなって考えていた。だからひさしぶりに会えて、まあシンプルに、他意なく、うれしかったんだな。

二人がそこで会ったのはほんとうに偶然で、そのまま食事にいこうということになったんだ。たえ子さんにしてみればぼくがいつあらわれるかわからない、一、二時間どこかで食事をして、また携帯で連絡を取り合えばいいと思ったわけ。それで二人は食事にいった。たえ子さんは幾度かぼくの携帯に電話をかけたんだけど、ずっと留守番電話になっている。連絡をとるのをあきらめて、昔の恋人と食事を続けたんだけど、じつはそれが、とても楽しかった。食事を終えてもまだまだ話したかった。ぼくとはいつだって会える、でもかつての恋人とはもう会わないだろう、だったら今日一日くらい、この偶然を楽しんでもいいんじゃないか。そう思った。それでもう一度ぼくの携帯にかけて、留守番電話に吹きこんだ。急におなかが痛くなったのでなかちゃんちにいきます。明日また連絡します。彼女としては無難な嘘をついたわけ」

老夫婦がバーに入ってくる。抑えた口調でいまだ言い合いをしている男女から少し離れた席に座り、二人してめずらしげにバーの内部をきょろきょろ見まわしている。

「ぼくの携帯が留守電になっていたのは、電車が地下を走りはじめていたから。留守電も聞かずぼくは待ち合わせ場所に走り、そこでようやく彼女のメッセージを聞いた。なかちゃんちにいく。——なかちゃんてのは彼女の大学時代の友達、ぼくも何度も会ったことがある女の子で、結婚して中野に住んでいる。

もしその日が、いつもと同じただのデートの日だったらぼくは帰っただろうと思う、帰って、明日の彼女の連絡を待って、お詫びに豪華ディナーをおごる。でもその日、ぼくは結婚を持ち出すつもりでいたし、指輪を持ってた。恥ずかしい話なんだけど、なんだか気持ちが熱くなっちゃって、ぼくはそのままなかちゃんちに直行したんだよね。だって中野だよ？　新宿から一駅なんだよ？　なかちゃんちから彼女を引き取って、タクシーでぼくのアパートにつれて帰ろうと思ってた。それでなかちゃんちにいったら、ははは、もちろん彼女はいないよね。なかちゃんもびっくり。

さてここでね、なかちゃんは御馳走とワインを用意していたんだ。その日は結婚記念日で——五年前に結婚するとき、なかちゃんは親友の誕生日を入籍日に選んだんだ——、でも夫は帰ってこない、御馳走はどんどんさめてく、ねえ二人でこの御馳走をやっつけちゃいましょうよ、ということになった。ポトフとローストビーフと海老のサラダとキッシュを二人でぱくぱく食べながら、ワインをがぶ飲みして、べらべらしゃべった。なかちゃんには生まれたばかりの赤ちゃんがいて、赤ちゃんはすごくおとなしく眠ってた。

たいしたことないと思ったんだ。たえ子さんはたぶん男友達に偶然会ってどこか飲みにいったんだろう、よけいな心配をかけさせまいとして嘘をついたんだろう、ぼくはそんなことでは実際傷つかないし、何が悪いってやっぱり約束に遅れたぼくが悪い。だけど――だけどなんだか、とても不思議な気がしたんだ。ひょっとしたら、ぼくはたえ子さんのことをなんにも知らないのかもしれないって思えてきた。十年、十年一緒にいて、でももしかして、ぜんぜん違うだれかを見ていたのかもしれない。

そうしたらなかちゃんが、おんなじような話をはじめた。結婚記念日って大事だって私は思っている、だから相手も大事に思ってるだろうって信じてるけど、そんなことはないんだよね。赤ちゃんが生まれたらだれだってうれしいだろうと信じてる、でもそうじゃないってこともある、そんなこと、最近になって気づいたと、なかちゃんは言うわけ。二人が同じものの見方をしようよってのが結婚だと思ってたけど、二人は二人、同じ人間にはなれないんだ、って。

そのとき電話がかかってきて、なかちゃんの夫からだった。彼は記念日のことすっかり忘れてて、仕事が終わらなくて帰れないとそれだけ言って、電話を切ったんだ。ぼくたちはなんとなく顔を見合わせて、それから無言で、彼のためにとっておいた御馳走を食べはじめた。むさぼるようにさ。

なかちゃんのアパートは八階で、大きな窓から、駅に出入りする中央線が見えたな。それから、黒いような空にはめこまれた月と、ところどころ、低い街並みに突き出たネオンサインが見えた。無言で食事を続けるぼくらは、ずいぶん昔に、世界から見捨てられた、行き場のないきょうだいのように思えたなあ。なかちゃんもおんなじことを思ってるのが、不思議にはっきりとわかった。

結果的に、その日一日で、ぼくらの状況は全部かわった。ぼくと、たえ子さんと、たえ子さんの昔の恋人と、なかちゃんと、なかちゃんの夫と、赤ちゃん。ぼくらは予定外の場所に向かわざるを得なくなった。元に戻ろうとすれば戻れたんだけど、だれもそうしようとしなかったんだ」

老夫婦はメニューを広げて、ウエイターに何か質問をくりかえしている。ずいぶん長いあいだそうしているのが、窓ガラスに映っている。全カクテルの説明をしてもらっているらしかった。さっきすすり泣いていたこどもがテーブルを離れ、老夫婦のようすをじっと眺めている。

「それが去年の年末の話。半年ちょっとなのに、ぼくたちは予想もしていなかった位置にいる。ぼくはなかちゃんと明日結婚する。なかちゃんの赤ちゃんはぼくの娘になる。誕生日の偶然から数回目のデートで、たえ子さんは昔々の恋人のこどもを身ごもって、二人はもうすぐ籍をいれるらしいよ。ぼくは最近、運命なんてものを信じないし、いや運命ってものがあったとしたら、そいつはものすごく簡単な、お手軽な、吹けばどこへでも飛んでいくような、とても無意味なものだと思うようになってしまって」

男はそう言って私を見る。

「未練とか、後悔があると思わないでください、ぜんぜん違うんですから。ただ、もしあのとき人身事故がなかったら。もしスターバックスで待ち合わせをしていなかったら。もし携帯が留守番電話になっていなかったら。もしなかちゃんが中野に住んでいなかったら。もしなかちゃんたちの記念日じゃなかったら。もしあの日夫が記念日を覚えていたら。一個でも『もし』が現実になっていたらぼくたちはまた違う場所にいることになったんだろうし、でも実際、その一見なんのつながりもない『もし』は全部起きた。もし、ぼくが隣のホテルに帰って、部屋がもぬけの殻でも、きっとぼくは驚かないような気がするな」

その話を聞きながらなぜか私は、男の話とはまったく関係がない、今回のハワイいきの経緯を思い出していた。こうしよう、と思っていてもおかしな方向にものごとが進んでいくことはある。ここにいたかったのにどこかへいかなくてはならないとか。自分の足である場所へきてしまったのにその理由がさっぱり思いあたらなかったりとか。

二本目のワインも空になっていた。窓の向こうの黄色い月は、さっきよりふくらんで見える。私も酔いがまわりはじめているらしい。

「抵抗はできないんだろうか」私は口を開く。酔いも手伝ってか、隣に座る男がとても親しい存在に思えていた。「その、無意味な、お手軽な運命に、風船みたいに飛ばされるんじゃなくて、どっかと根を張って流されないことってできないのかな」

　毎日を習慣と秩序で塗りかためて、そのなかにじっとたてこもっていれば、私は安全なのだろうか。予想外のものごとにぶちあたって戸惑うことはないだろうか。自分で自分を、どんどん嫌いになっていくことはないだろうか。コントロール不可能の恋愛感情を抱くことはないだろうか。私は男に訊きたかった。

「できると思います。できると思う、そうしようと思えばぼくはできたと思う。人身事故にも昔々の恋人にも影響されることなく、約束通り、彼女に指輪を届けることなんか、いくらでもできたと思う。――だけど、そういうのってほんとうかな？　とも思うんだな。かわらずにいることに、価値なんかこれっぽちもない、って。……ひょっとしてこれは、自分を正当化したいだけなのかもしれないけれど」

　男は言って、ポケットから財布を取り出す。私もあわててポケットから紙幣を取り出した。

「あ、ぼくにごちそうさせてください。独身最後の夜の、馬鹿話聞いてもらって感謝してます。きっとまだ迷いがあったんだな、これでいいのかよって。でもあなたに話せて、お手軽な運命に翻弄されるのも悪くないって思えてきました。たのしかった」

フロアにウエイターの姿が見あたらない。男は目で彼の姿を捜しながら、空になったグラスを指でなぞっている。カウンターの奥からウエイターが出てくる。両手で包みこむようにして、ずいぶん大きなグラスを持っている。グラスにはピンク色の液体が満たされ、グラスの縁にはびっしりと果物が飾られ、紙の傘と、ぐるぐるまきのストローと、花火が突き刺してある。ウエイターはしずしずとした動作でそれを老夫婦の席に運び、細長いライターで、重々しく花火に火をつける。ぱちぱちと大げさな音があたりに響き、薄暗いバーに光のしぶきが飛び散る。光は緑からピンクへ、ピンクから黄色へと色をかえる。老夫婦は驚いて歓声をあげ、頬に涙のあとをつけたこどもは手をたたいて走りまわり、男女は言い合いを中止し、口をぽかんと開けて花火に見入っている。

「明日、私、いきます、結婚式。いいですか？」

突然の喧騒を背後に私は男に訊いた。

「もちろん。セント・ジョゼフ教会で、午後二時からです。部屋がもぬけの殻でなければの話ですが」

男は言った。

誕生日に見知らぬ人の結婚式に参加するなんて思ってもみなかった。明日早くにモール専用バスを呼んで、ドレスを買いにいかなければ、パンプスも必要だ、はじけ続けるちいさな花火を見つめて、予定外のできごとに私はわくわくしはじめている。

火山でもなく、星空でもなく、魚影でもなく、この結婚式のために私はここへきたような気がした。偶然続きでここまで運ばれてきた人の、ある一瞬を心から祝うために。そうして、私をどこかに結びつけていた、風船の糸をこんなふうにぷつりと切ってしまうために。

花畑

つらいとかくるしいとか言ったたって、いつか終わりはくるものなんだと、信じていたあたしというのは、ずいぶんしあわせだったんだなあ、と思う。

つらい時期くるしい時期というのは、よくトンネルにたとえられる。長い長いと思ったって、いつか向こう側に明かりが見えてくる、なんて。あたしもそれまでそう信じていた。たとえば、深刻になやんでいる友達が身近にいたら、あたしはトンネルのたとえで友達をなぐさめただろう。最低なことなんか、そう長くは続かないって。永遠と思えるほど長いトンネルと、おんなじだよ。などと言って。

しかし現実はちがった。こんなにひどいんだから、ここがもう底だろう、と幾度思っても、底はもっともっと先、どのくらい先なんだかわからないほど遠くにあって、不幸は打ち止めにならなかった。無制限フィーバーみたいに、それは続いた。

そもそものはじまりは、弟（十六歳）の交通事故だった。はじまりと言っても、それから起こるすべてのできごとに、この事故が関係しているかといえばそんなこともないのだが、それでもヤスノリの事故は、明治維新とかキリスト誕生とかいった、ある時期とある時期の区分のようなものだ。つまりあたしは、それ以前は不幸なんて言葉すら知らず、それ以降、しあわせは遠い異国の食べものみたいだと思うようになった。

二十一世紀になったばかりの冬の日、弟のヤスノリは無免許で原チャリに乗っていて、バイクと接触事故を起こした。バイクに乗っていた二十代の男はただの打ち身ですんだものの、バイクは買ったばかりだったとか一か月仕事ができないとか、なんだか知らないけれど難癖をつけて百万円以上を弟に請求してきた。

保険に入っていなかった弟が借金を申し入れたのは父でもなく母でもなくあたしでもなく、一番上の姉（二十六歳）だったのだが、姉ヨウコはそのとき妊娠三か月目で、金を貸さなかったばかりか、それをきっかけのようにして、精神的にぶれてきた。てっとりばやくいえばちょっとおかしくなった。マタニティブルーだと言って姉の夫は事態を深刻に受けとめなかった。受けとめなくても、それはそれでかまわなかったのかもしれない。精神的にやばくなった姉のほこ先は夫でもなく世間でもなく、あたしだったのだから。

姉は、あたしと自分の夫が浮気をしているとなぜだか深く思いこんで、いやがらせをはじめた。あたしのアパートに深夜の無言電話をくりかえし、こまった宅配便(腐ったなまものが入っていたり金魚の死骸が入っていたりした)をときおり送ってよこす。ヤスノリの事故は、姉を困らせるためあたしが仕組んだものと信じているらしい。

結局姉に金を借りられなかったヤスノリはあたしに泣きついてきた。実家から電車で三十分ほどの場所に、ひとりで住んでいるあたしのアパートをヤスノリは訪ねてきて、土下座をして借金を頼んだ。ヤスノリが提示する金額をあたしは全額用意した。半分は自分の定期貯金を崩し、半分は恋人に借りた。あたしと恋人は、近い将来自分たちで結婚式をあげようと、少しずつお金を貯めていて、ヤスノリに渡したのはその費用だった。

この時点で、不幸の影が忍び寄っているなんてあたしは思いもしなかった。姉のいやがらせはこまりものだったけれど、ヤスノリの不祥事を、父母に迷惑をかけることなく、自分たちでなんとかしたことは誇らしいことに思えたし、それに何より、あたしには恋人がいた。お金をぽんと貸してくれて、弟のことを心配してくれて、姉のほこ先になったことに同情してくれる、まっとうな人柄の恋人がいた。

梅雨がはじまり、毎年のごとく、濁った色の空が頭上に広がって、町じゅうを湿った空気が覆い、そうして、事態は坂道を転がるオレンジみたいに、どんどん悪化していった。

どしゃ降りだったその日、会社から帰るとヤスノリがアパートの前であたしを待っていた。家を出てきたらしかった。事情を聞くと、母親には現在若い恋人がおり、最初は遊びのつもりでつきあっていたらしいのだが双方本気になって、母は父に離婚を申し出たが、父はそれを認めず、話し合いを避けるかのようにほとんど家を空けている。それをいいことに母は若い恋人を家にひっぱりこみ、ほとんど同居しているらしい。たまに帰ってくる父親が、なんとかすると思っていたがそんなことはなく、父は母の恋人が見えないかのようにふるまって、またふらりと家を出ていくらしいのだった。

母と恋人の暮らす家に居づらくなって、しかしひとりで暮らす金もなく、姉ヨウコの家にもいったのだが、姉はヤスノリに、あの事故はナミコ（あたし）の仕組んだものにちがいない、あいつはそうやって自分から夫をとろうとしていると、すわった目つきでうんざりするくらい迫るので、逃げ出してあたしのアパートへきた、らしかった。

どしゃ降りの雨が、アパートのトタン屋根や窓ガラスを絶え間なく打つのを聞きながら、あたしとヤスノリはうどんを作ってふたりで食べ、ふとんを並べて敷いて眠った。昔、おんぼろアパートに住んでいたことをあたしは突然思い出した。ヤスノリは生まれたばかりで、あたしは小学校一年か二年生くらいだった。アパートは二間《ふたま》しかなく、夜は、家じゅうにふとんを並べてみんなで眠った。ヤスノリが泣くとみんな起きてしまった。あんまり夜泣きがひどいときは、父か母が、ヤスノリをおんぶして部屋を出ていった。あたしはふとんのなかで、足音が階段を降り、泣き声が夜の町に遠ざかっていくのをぼんやり聞いていた。

隣に横たわるヤスノリに、そのころのことを覚えているかと訊いてみると、ヤスノリはもう眠っていて、変則的な寝息だけが返ってきた。こどものころからかわらない変則ビートの寝息と、町じゅうを打ちつける雨の音を聞きながら、あたしは眠りを待った。

ヤスノリの同居は、あたしには心強いものだった。ワンルームに二人は窮屈だったが、姉のかけてくる無言電話も減ったし、突然届く宅配便もヤスノリとともに始末すれば、ギャグにすらできた。あたしは朝いつもより早く起きて二人ぶんの弁当をつくり、ヤスノリを学校に送り出してから会社に向かった。仕事から帰ると、先に帰っていたヤスノリが何かしら夕食を用意していてくれて、テレビを見ながらそれを二人で食べた。週末は、恋人とヤスノリと三人で食事をした。

そんな暮らしは梅雨があけるまで続いた。まだか、まだかと思っていた梅雨あけ宣言の日、ヤスノリは消えた。ときおりそんな日があったように、友達と遅くまで遊んでいるのだろうと思ったが、明くる日になっても彼は帰らず、数日たっても帰ってこなかった。ぱたんと、本を閉じるみたいにヤスノリはいなくなった。

彼とときを同じくして紛失した現金・預金通帳・ハンコ、つまりあたしの全財産セットと、彼の失踪を、あわせて考えないほうが不自然であると、結論を出さざるを得なかった。ヤスノリがいなくなって最初の週末、あたしのアパートに遊びにきた恋人は、彼の不在を知り、自分も金を貸していたと打ち明けた。あたしのいないときに、ヤスノリは例の事故がらみでまた金が必要になったと言って、恋人を拝み倒し数十万を借りていた、らしかった。

あたしはヤスノリを必死で捜した。あたしの端金《はしたがね》はどうでもいいが、恋人のぶんはとりかえさなくてはならない。実家に電話をして父と母に訊き、埒《らち》があかないので直接実家にいき、それから彼の学校までいった。おそろしいことに、ヤスノリは足跡のひとつも残してはいなかった。実家の彼の部屋に、足取りがつかめそうなもの——携帯電話とか手帳とか友達からの手紙とか——は何もなく、しかも学校にいたっては彼は自主退学していた。

「これじゃ犯罪だよ」恋人はあたしに言った。あたしだってそう思っていた。二十一世紀の幕開けとなった例の事故も、彼のでっちあげかもしれないと、あたしは思いはじめていた。だいたい、バイクの男が打ち身なのに、なぜ原チャリのヤスノリが無傷だったのか。

「警察に届けようよ」恋人は言ったが、それだけはできなかった。どうしてだかわからない。ヤスノリを信じているわけではなかったし——信じる材料なんかこれっぽちもないじゃないか——、あたしもすっからかんだった。でも警察に被害届を出すことはどうしてもできなかった。

ヤスノリについて、父と母に相談にのってもらおうとしたが、彼らは自分のことに手一杯で、親という役割を完全放棄していた。母はあたしの話を遮って、離婚してくれない父親について愚痴をつらね、父はといえば、ギャンブルで拵《こしら》えたらしい借金の申入れをあたしにしてくる始末だった。

こんな状況のなかにあってさえ、姉はあたしにいやがらせを続けていた。いたずら電話をしてきたり、あたしの行状を責める手紙をよこしたり、不気味な宅配便を送ってきていた。

「ぼくが結婚しようとしていた人は犯罪者のおねえさんだったってことだな」警察にいこうとしないあたしにいらついて、恋人はそんなにくまれ口をたたいた。ほんとうのことだと思った。思ったのに、その言葉で理性を保っていた糸が切れて、気づいたらあたしは恋人に殴りかかっていた。しょぼくれた私鉄駅前の、閉店直前のマクドナルドで。

やっぱりな。やっぱりな。逃げながら彼は叫んでいた。弟は泥棒で、姉はノイローゼで、おまえ自身は暴力女か、そりゃそうだよな、まともなわけないよな。よかったよ、結婚する前にわかって。結婚なんかしなくてたすかったよ。

その日から、深夜の電話は二倍になった。夫を盗るなと叫ぶ姉と、金を返せとつぶやく恋人とが、ひっきりなしに電話をかけてよこして、あたしを眠らせまいとした。

仕事を終えると、だからあたしはアパートには向かわず、ビデオ屋をうろついて、中古ゲーム屋をうろついて、コンビニエンス・ストアをうろついて、深夜を過ぎてから家に帰った。本当は、ファミリー・レストランや飲み屋で時間をつぶしたかったのだけれど、そうするお金さえもなかったのだ。

アパートから三分ほどの場所にある、コンビニエンス・ストアをうろついているときが一番心和《なご》んだ。あたしがそこにいく時間、十一時半から一時くらいのあいだだが、きまってやる気の無さそうな若い男の子がレジの前に立っており、たぶんその子の放つ雰囲気のせいで、店全体がだらしのない、どうでもいい、見捨てられた場所のようになっていた。ひょっとしたら昼間は一歩も外にでないのかもしれない、色の白い太った男の子や、異様なくらい顔を白く塗りたくったおかっぱの女の子や、気の弱そうな中年男や、いく場所のないカップルなんかが、遠慮がちに店のなかを徘徊《はいかい》し、しゃがみこんで雑誌を読んだり、新しいスナック菓子の成分表をじっくり眺めたりしていた。

彼らに混じって、犯罪者の弟に金を盗られ、恋人に暴力女と呼ばれ、姉に夫を寝取ったと疑われるあたしもまた、蛍光灯の光の下を泳ぐように移動し、弁当や、アイスクリームや、女性向け雑誌を眺めていた。そしてその合間に、レジに立つ、アルバイトの若い男の子をちらちらと眺めた。ていねいに髪をいじくって無造作風にした、どう見ても高校生くらいの男の子だ。レジカウンターの内側で、彼は雑誌を読んだり、ゲームボーイをしている。まるで自分の家でそうするように。客がレジにくるとあわてて立ち上がり、レジを打ち、品物を袋にいれ、口の中でもそもそと、ありがとうございました、と言う。客が去ると、ふたたび店内にいっさいの興味を失って、いすに腰かけ自分のことに没頭する。

信心深いおばあさんが目を細めて仏像だとかキリスト像だとかを見上げるように、あたしはその男の子を盗み見ていた。

勤め先の数人に、送信元があたしの名になった怪メールがおくられてきたころから、あたしは疑いを持ちはじめた。この不幸に終わりはないのではないか。出口のないトンネルというものがこの世にはあるのではないか。

怪メールは姉か元恋人かわからない。二人が共謀したのかもしれない。それは毎日あたしと、社内のだれかにあてて送られてきた。ある日は、あたしは性的にふしだらだと書き連ねてあり、ある日は、あたしは金銭的にだらしがないと警告しており、べつの日は、犯罪者である弟の行状が、嘘も本当も取り混ぜて淡々と述べられていた。

それでももし、あたしが同僚の女の子たちとうまくいっていたら、それはそれほどたいした話ではなかったかもしれない。みんなで結束をかため、被害者であるあたしをかばい、怪メールを無視し、無視しようと社内じゅうに触れまわってくれたかもしれない。女の子とはそうしたものだ。

皮肉なことに、あたしはそんな女の子的なつるみかたが大嫌いで、なかば喧嘩を売るようにして一匹狼としての立場を築き上げていた。つるんでいる彼女たちをばかにして、見下げて、必要以上は口をきかないようにしていた。入社以来、ずっとだ。なぜならこんな不幸に見舞われるなんて、想像だにしなかったから。

同僚の女の子グループのボス、比佐内さんが、そんなあたしをひどく嫌っていることは知っていた。だからこの怪メールを一番よろこんだのも彼女だった。彼女はとてつもないすばやさと技能で、けっして大きくはない社内じゅうの女性社員をまとめあげ、アマゾネス軍団に勝るとも劣らない結束であたしをスケープゴートにし、そればかりか、上司に「怪メールとあたしの存在が社内全般に不安を広げ業務をさまたげている」旨相談し、あたしから味方をひとり残らず奪ってしまった。見事だった。比佐内さん、あなた、こんなしょぼい印刷会社にいないで、政治家を目指したらどうか、とあたしは心底勧めたかった。

仕事場であたしと口を聞いてくれる人間は、ほとんどいなくなった。それから、あたしの主な仕事だった校正作業も、あんまりたのまれなくなった。上司やほかの社員はあたしを素通りしてほかのだれかに仕事をたのみ、あたしはただ、一日机でぼうっとして、コーヒーメーカーが空になっていればコーヒーをつくって、麦茶が空になっていれば麦茶をつくった。しかしあたしのつくったコーヒーも麦茶も、だれも飲んでいないということに、三日ほどで気づいた。

昼休み、あたしは立入り禁止の屋上で、手作り弁当をひとり食べ、自分のいれたコーヒーや麦茶を飲む。太陽は強烈にぎらついており、屋上に乱反射して、数分もしないうちに制服のブラウスは汗でぐしょ濡れになったが、あたし自身は、暑いとか寒いとか、まったくといっていいほど感じないのが不思議だった。

元恋人にとりあえずお金を返さなくてはならない。最初の五十万円と、あとからヤスノリが借りていった額。家賃も払わなければならないし、公共料金も。アルバイトをしようか。あたしはまだ二十三歳だし、奥菜恵に似ていると言われたこともあるからキャバクラでも充分いけるんじゃないか。体をはる仕事は自信がないが、下着姿や制服姿で接客することはできるかもしれない。

そう考えて、しかし思考は、そこでもきっと、何かある、と、そっち方面にいってぴたりと止まってしまう。アルバイト先で、あたしはまたきっと嫌われる。女の子たちに無視される。もしくは、客に粗相をしてたいへんなことになる。万が一、何もかもがうまくいったとしても、姉か元恋人か家族のだれかが、きっとそれをぶちこわしにくる。

思考は止まったままどんどん悪いことが思い浮かんで、もう何も考えられなくなる。手や足の先が、じいんとしびれたようになる。キャベツ炒めの弁当から顔をあげ、あたしは眼下に広がる町を見下ろす。くっきりと青い空に、アンテナや看板や電柱や、何かわからないけれど細い塔みたいなものが醜く突きたっている。緑はほとんど見当らず、アパート、高層ビル、一軒家、店舗、色もかたちも統一感のないそれらが、ごちゃごちゃと肩を寄せあうように密集している。はるか遠くがけぶっているのはスモッグのせいだろう。商店街のスピーカが演歌を流し、それに負けじと大型衣料品店が流行歌を流し、どこにあるのか学校がチャイムを鳴らし、エロ映画館の宣伝カーが宣伝文句をくりかえしながら過ぎ、それらは濁ったスモッグみたいに町全体をうっすら覆う。

キャベツ炒めの弁当を食べ終え、麦茶を飲み、薄荷《はっか》煙草に火をつけて、ゆっくり吸いこみあたしは目を閉じる。そして、あの子のことを思う。深夜にレジに立つ、あの男の子を思い浮かべる。

あちこちに毛先の飛んだあの髪や、髪をなでつける骨っぽい長い指や、手入れしているのであろう細い眉や、左頬のほくろや、右耳に三つつけたピアスや、下唇を嚙む前歯や、コンビニ制服の襟元からのぞく鎖骨や、短く切った爪や、きまって数ミリ伸びているあごのひげや、耳の下でまるく出たえらや、あの、まったくやる気の無さそうな雰囲気やらを、ていねいに、丹念に、閉じたまぶたの裏側にあたしはかたちづくる。彼の姿がその暗闇に、立体的にできあがると、それをこわさないよう、崩さないよう、ゆっくりと、まぶたを持ち上げる。そこに広がっている、ごちゃごちゃした、統一感のない、バランスを欠いた醜い町は、今や絵画のように見える。花畑を描いた絵画だ。ピンクやブルーや黄色や白い花が小さな青空の下、無秩序に咲き乱れている、そんな絵画。あたしは数歩下がって、遠くからその枠のなかの花畑を見ている。そんな気分になる。

あたしに友達と呼べる人間がひとりもいない、その唯一の利点は、こういうことを打ち明けずにすむことかもしれない。友達がいればあたしはすぐさまこの話をするだろう。コンビニの男の子と、彼を思うことで様相を変える町、花畑然とする光景のことを。そうしたら、友達はきっと爆笑するだろう。あたしのロマンチックを笑うだろう。だから、友達がいなくてよかった。ひとりでよかった。この眼下の花畑を、独占できてよかった。

その日、ビデオ屋、ゲーム屋、コンビニと、いつもの三軒に寄って深夜帰宅すると、アパートのドアの前に、姉ヨウコがいた。姉の腹はぎょっとするほどでっぱっていて、ああ、臨月なんだったなと思い出した。アパートの通路に立ちつくすあたしを見つけ、姉はでかい腹をかばうようにしてよたよたと立ち上がり、

「タケヒコはどこよ、あんたタケヒコをどこにかくしたのよ」

と詰め寄ってくる。深夜一時をとうに過ぎていたので、あたしはあわてて姉を自分の部屋に押しこんで、姉の夫のタケヒコさんのことなんかこれっぽっちも知らないのだと、声を抑えて説明した。姉は目をぎらぎらさせながら、あたしの部屋の、風呂場やトイレや押入れや天袋や、あらゆる扉を開けてまわり、意味不明なことをつぶやいていた。あたしはそんな姉を放っておいてひとり風呂に入り、カルピスを作って飲んだ。姉は部屋の真ん中に仁王立ちしてあたしを見ている。

「飲む？　カルピス」

あたしは言って、姉のぶんのカルピスも作った。六畳間にふとんを二組並べて敷いて、エアコンを弱くし、自分のふとんにもぐりこむ。しばらくのあいだ、姉の飲むカルピスの、氷がぶつかりあう音が聞こえていた。それがやむと、姉が隣のふとんに入る気配がした。一か月ほど前には、ヤスノリが寝ていたふとんだ。あたしからタケヒコをとらないで。ほかのものならなんでもあげる。でもタケヒコだけはと

らないで。姉は暗闇に小さくつぶやいていた。あたしはかたく目を閉じ、コンビニの男の子のことを思い描くことに集中し、眠りを待つ。

翌朝目覚めると、姉の姿はなかった。寝乱れたふとんだけがあった。目覚まし時計は九時近くを指している。姉が目覚ましを解除していったらしい。あたしは急いで会社に電話をかけ、熱があるので休みたいとしどろもどろに言った。電話に出た比佐内さんは、笑いを抑えるような声で、お大事に、といって電話を切った。彼女の声を聞いたら、本当に熱があるような気分になった。

テレビを見てだらだらとすごし、昼近くになって買いものに出た。昨夜寄ったばかりのコンビニエンス・ストアで、弁当と冷たいお茶を買い、なんとなく去りがたくて雑誌コーナーで立ち読みをしていたら、自動ドアをくぐり見知った顔が店内に入ってきた。深夜バイトの男の子だった。目を閉じても細部まで思い描くことのできる、例の彼だった。気づくと雑誌を持つ手が震えている。滑稽なくらい緊張して、あたしは視界の隅で彼を追う。

彼はレジに立つ中年男と何かしゃべっている。数分しないうちに、レジ奥の扉から私服姿の女の子が出てくる。彼を見つけにこやかに笑い、レジの中年男にお先に失礼します、と言う。彼と女の子は並んでコンビニを出ていく。雑誌を乱暴に棚に戻し、できるだけさりげなさをよそおってあたしも店を出た。

あたしの数メートル先を歩く彼らは、腕を互いに腰にまわす。どこへ向かうのか、のらくらした足取りで住宅街を進む。ときおり腰をかがめて笑い、どちらかがどちらかを突き飛ばし、またひとしきり笑い、ふたたび腕を腰にまわしあう。前を歩く男の子は、あたしの知っている深夜のあの子ではないように思えた。どこにでもいる、若い男の子に見えた。彼の隣の、肌の色の黒い、ぱさぱさの茶髪の、ミニスカートの脚の太い女の子が、どこにでもいる頭の悪そうな高校生に見えるのと同じように。どうしてあの男の子が、あたしを救いだしてくれるなんていっときだって思ったりしたんだろう？　どうして彼に、目の前の光景を花畑にかえる力があるなんて、思ったりしたんだろう？

どこにでもいる高校生カップルのあとなんかつけている自分が急激にばかばかしくなって、彼らに背をむける。逃げるように、めちゃくちゃに歩く。角を曲がり直進し、また角を曲がる。

気がつけば、自分がいったいどこにいるのか、まるでわからなくなっている。

「なんだよ、これ……」あたしはつぶやく。高い塀に囲まれた家が並び、文字のすべて消えたバス停がぽつんとあり、照りつけるような陽射しの下、アスファルトの道路はゆらゆら揺れてのびている。「ばっかじゃないの」口のなかで毒づいたら不覚にも涙がこみあげて、視界が急ににじむ。泣くまいと上を向いて、雲のひとつもない薄いブルーの空をにらみ、とりあえず、見当をつけて歩きはじめる。車が数台あたしを追い抜き、ときおり、風が吹いて額の汗を拭っていった。

　自分のアパートからそう遠く離れていないだろう場所で、完璧に迷子になっているこの状況というのは、しかし今のあたしにとてもよく似合っているように思える。目印のまったくない住宅街のなかを歩き、曲がっても曲がっても人の気配はなく、目を凝らしても、線路とか、大きな道路とか、判断材料になってくれそうなものはいっさい見当らない。ヤスノリはどこにいったか見当もつかない。姉の妄想的な誤解をとく手立てはない。父も母もあてにならず、金銭的余裕もない。恋人は、お金のことだけであたしから離れていった。あれほど長く一緒にいて、はかることのできないほどの言葉を交わし、これからもずっと一緒にいようと言い合って、それなのに、百万円にも満たない金額のことであたしを全面否定した。こんな話を打ち明けられる友達もいない。だれもいない。唯一の救いでもあった男の子は、かわいくもない女の子にでれでれしているただのガキだった。たぶん、これから屋上で町を見下ろしても、それが花畑のように見えることなんかないのだろう。あしたはたったひとりで、ごちゃごちゃした醜い町を見下ろし、汗をだらだらかきながら、キャベツ炒めの弁当を食べるのだろう。

「ばっかじゃねえの」あたしはもう一度言ってみた。今度は涙はにじまなかった。

「須田さん、原さん、中畑一郎さん、良子さん、浩太くん、大樹くん、それからえーと、神永さん、徳田総次郎くん、米子さん」通り過ぎる表札を読み上げて歩く。頭のてっぺんが、焦げてしまうのではないかと思うくらい暑い。

浜崎幸三さん、の木造二階建て住宅を曲がって、そこにあいかわらず目印も判断材料もなかったが、しかしあたしは驚いて立ち止まった。

「あれま」と、口に出して言っていた。

浜崎さん宅を曲がると細い道路がのびていて、それはほかと同じだが、無機質な住宅街と雰囲気ががらりとかわる。急激に木々が増え、あざやかな緑がこれでもかというほど、道路を縁取っているのだった。コンクリの塀を飛び越えて緑は繁殖し、木々は空を目指してまっすぐ伸び、風にあおられてちらちらと白い葉裏をのぞかせている。あたしはあっけにとられて緑豊かなその道を進む。

　空き地が幾つもあった。空き地には有刺鉄線がめぐらされていたが、その内側で、雑草が生い茂り、名も知らぬ小さな青い花が咲き、空き地の向こうには、竹林があった。まるでどこか、遠い場所にきてしまったようだ。バスや電車を乗り継いで、うんと遠いどこかに。

「すげえ、きれー」あたしは言っていた。「なにー、ここ?」

　空き地の合間合間に小さな家がぽつりとあり、どの家も平屋で、庭があった。向日葵が咲きほこり、時代的な井戸がひっそりと夏草に埋もれ、洗濯物が、白く光を放ってひるがえっている。その光景は、ひどくなつかしかった。

　なつかしいって、いったいどこでこういう景色を見たんだろう。繁殖する緑。葉の揺れる木々。向日葵、井戸、洗濯物。ときの止まったような空気と、音のしない昼下がり。アルバムをめくるみたいに、あたしは記憶をひっくりかえす。

　小学校二年のときにいった夏の家族旅行かな。伊豆の民宿から、海に向かう道かもしれない。生まれたばかりのヤスノリを母は抱き、こども用の黄色い浮き輪をふくらませながら父は歩いていた。それとも、あたしが中学生のときに死んだおばあちゃんちだっけ。数回しかいったことがない、あの大きな家のまわりは、こんなではなかったか。結婚前の姉と二人きりでいった、温泉宿に向かう途中の道だろうか。いや、父が会社の友人に借りた、軽井沢の別荘のあたりに似ているのかもしれない。あのときはおかしかったな。まだ小学生のヤスノリが、どこかから猫を拾ってきたのはあの旅行だった。猫は暴れて部屋がぐちゃぐちゃに汚れて、みんなで大掃除しなくてはならなかった。猫を持ってきた罰として、ヤスノリは下半身まっ裸で、麓の商店街までおつかいにいかされたんだった。へんな罰、だれが考えたんだろう。かなりイってるよ、下半身裸でおつかいなんて。

あたしは笑う。ヤスノリは泣きべそをかきながらおつかいにいった。あたしと姉は転げまわって笑った。父と母は喧嘩していた。でも、おつかいから帰ってきたヤスノリを見て、二人とも笑って喧嘩は延期になった。あの日の夜はカレーだった。父の友達の別荘で、みんなで食べた。父は自分の別荘みたいに得意げだった。あたしと姉は食事を中断し、おちんちんを出したヤスノリの絵を描いて母に怒られた。まったく、驚いてしまう。あんまり驚いて、あたしはその場に立ち尽くす。こんなにもいやなことだらけだというのに、こんなにもまいっているというのに、あたしはまだ、何かを見て、きれい、などと感嘆の言葉をつぶやくことができるのだ。恋人も友達もおらず、家族も今や味方ではなく、トンネルに終わりなんかないと心の底から思っているのに、それでもまだ、何かを思い出そうとしてみれば、こんなにもうつくしい景色ばかりが思い浮かぶのだ。

まったく、驚いてしまう。

額の汗を拭って、木々のアーチをくぐるようにあたしはまた歩きはじめる。手に下げたコンビニのビニールに、弁当と飲み物が入っていることを思い出し、お茶を飲む。お茶はぬるくなっていたが、おいしかった。

腹が減ったらどこかにしゃがみこんでこの弁当を食べればいいんだ、お茶を全部飲んでしまってもどこかに自動販売機がある、そう思うと妙に心強かった。ここがどこか、アパートはどっちか、いまださっぱりわからないが、暴力的なくらい繁殖している緑に沿ってあたしは歩く。何ひとつ問題は解決しない。それでもあたしは、目を閉じればとてもきれいな日々を思い浮かべることができるし、目を開ければ何かを見てきれいだとつぶやくことができる。

「ははは」笑いたいことなんかなかったが、口を開けて、そう発音してみた。

頭上でみっしり木にはりついた葉が、それにつられて笑いだすようにかさかさと音をたてている。

完璧なキス

完璧なキスを、ここしばらくしていない。

男というものは性交が好きで好きでたまらないいきものだと信じこんでいる女がよくいるけれど、それはまちがっている。ぼくはキスが好きだ。女の体のどこをさわるより、挿入より射精よりキスが好きだ。キスというのはじつに微妙なバランスの上に成り立っている。雰囲気、体調、双方の精神状態、空気、におい、すべての条件がそろうことが必須で、どれかひとつでもマイナス要素を含んでいたら完璧なキスはできない。

と、そんなことを、吉祥寺東急の前にあるドトール・コーヒーでぼくはさっきからずっと考えている。平日の午後二時すぎだというのに店は混んでいる。ぼくの隣には異様に色の黒い、手足の長い女が座っている。携帯電話でずっとしゃべっている。甘ったるい人工花のにおいがひっきりなしに漂ってくる。左隣には紺のワンピースを着た女が文庫本に目を落としている。キスについて考える前、ぼくはこの女の文庫本を盗み見ていた。ポジティブ系の本だった。そのジミな表情、こうするだけで百パーセントかわります、とか、話の聞きかた、受け答えのしかたで、友達がふえる、人に好かれる、とか、そんなことばかりが書いてあり、ちょっといい感じの女だと思っていたぼくを失望させた。文庫本から目をそらしたとき色の黒い女が隣に座った。彼女は片手でトレイを持ってずっと電話で話しながら席につき、それからずっと、三十分以上たとうとしているのに話し続けている。アルバイト先のゆりちゃんという友達に紹介してもらった男が最悪だけれどそいつが合コンをやるらしいからそれには呼んでもらう所存であると、しばらく耳を傾けていたが話の趣旨はそれだけで、それをくりかえしくりかえし、言いまわしをかえたり表現をかえたりして言っているだけで、盗み聞きするのもやめてしまった。それで結局、窓ガラスの外を眺めて、完璧なキスについて考えはじめたというわけだ。

晴れている。アスファルトがきつい陽射しを照り返して、窓ガラスの外の光景はゆるやかにおだやかにゆがんでいる。けっこうな量の人々が通りすぎる。三浦屋の紙袋を片手に持ち、清潔な靴下をはいた子どもの手を片手で握って、足首の細い女がてきぱきと歩いていく。銀行の前にバイクをとめたスラッシュ・パンク系カップルが汗を拭いながらだらだらとすぎていく。そろってパステルカラーのジャージを着た若い女たちがドトールの前で中をうかがい、ああだこうだ話してぞろぞろと移動していく。

ぼくの前のコップには三分の一ほどコーヒーが残っている。氷が溶けて薄茶色の気色悪い液体になっている。それでもぼくはストローに口をつけて一口すすりあげる。ストローはひんやりした感触を唇に残す。

ぼくがなんだってまっ昼間から完璧なキスについて考えはじめたのかといえば、左隣がポジティブ本を読んでいたり右隣がゆりちゃんの紹介した男をけなし続けていたりするせいもあるが、それ以前に、ぼくがここに入る前に、伊勢丹の前でキスをしているカップルを見たからだった。まったく気分が悪くなるようなキスっぷりだった。男も女もだらしなく太っていて、女はぷくぷくした二の腕を見せびらかすようなキャミソールを着ていて、その腕を男の首にまわしていた。男は顔にも首筋にも汗を浮かべ、おまけにTシャツの後ろも汗でべったりと背中にはりついていた。そいつらが顔を近づけあってはぶちゅっ、ぶちゅっ、とやっている。

ぼくは人の町中いちゃつきを見て嫌悪感をあらわにするようなタイプではない。最近の娘っこははじらいがないね、と言うつもりなんか毛頭ない。それでもやつらのキスはぼくを不快にさせ、かつ猛然と蒸し暑さを感じさせ、東急の先の無印良品までいくつもりだったのだが体じゅうを抑えるような蒸し暑さにたえられなくなってドトールに避難したわけだ。きつすぎる冷房で汗が引いていくのを感じながら、そういえばぼくは最近キスをしていない。最後にしたのはいつだったっけ。そんなことを考えはじめたのだった。

とにかくぼくはキスが好きだ。キスをするために恋愛をするようなものだ。すべての恋愛において、その相手と完璧なキスが続けられるのなら、一生ちんちんが使いものにならなくてもかまわない。それくらい好きだ。もちろんこの、完璧さというのは、ぼくにとっての主観的なものであって絶対的なものではない。ぼくは薄っぺらい唇よりぼってりとした唇が好きだ。乾燥してひびわれたものよりしっとりとうるおっているほうが好きだ。口紅やリップクリームでべとついているのは論外だ。口紅の味をぼくは嫌悪している。氷を含んだあとのようにひんやりとしていて、唇の合間からほんの少しアルコールのにおいがすればなおのことといい。

そこまで考えてぼくはあたりをうかがう。いつのまにか右隣の電話女はいなくなっている。白いワンピースを着た子どもとその母親が座っている。子どもはオレンジジュースを熱心に飲み母親はバッグに手をつっこんで何か捜している。左隣はまだ本を読んでいる。うしろをふりかえる。テーブルにカップルが座っている。男が女に雑誌を見せ、女は笑っている。みんな自分たちのことに一生懸命である。ほっとする。頭のなかで何を考えたって自由、とよく言うけれど、まったく人ってのはすばらしいよなあ、と思う。こうしてぼくが何を考えていようと口に出さないかぎりだれも気づかないし、ほうっておいてくれるのだから。

薄まったアイスコーヒーはもう、コーヒーの味などしないけれど外にでていく気になれない。ぼくは頬杖をついて正面を向く。ガラス戸の向こうをあいかわらず大勢の人々が行き来している。短く髪を切った、下着姿かと思うような格好をした女がちらりとこちらを向いて歩いていく。一瞬、真正面から彼女の唇を見た。赤みのない、肉厚の大きな唇だった。このくそ暑いなか黒の長袖ワンピースを着た女がまっすぐ前を向いて通りすぎる。何歳なのかまったくわからない。十代にも見えるがやけに老けても見える。細っこい三日月みたいに薄い唇に真っ赤な口紅を塗りたくっていた。携帯電話を耳にあてて若い男が立ち止まる。不精髭に埋もれた唇は、上唇が存在しないほど薄いのに下唇が腫れあがった指みたいに厚い。

行き交う人々の唇を追うようにして窓の外を見ていると、ぼくの目の前で、唇だけがふわふわと行き来しているように思えてくる。でっぱった唇がありへこんだ唇があり、赤がありオレンジがありベージュがあり銀(!)がある。図々しげにでかいのもあり、遠慮がちに口角が下がったのもある。この何百もの唇が、それぞれの言葉をしゃべりそれぞれの好物を頰張り、それぞれの空気を吸っている。あるいは、それぞれの好きな人や嫌いな人の唇でふさがれる。気が遠くなる。

ストローに口をつけ、吸い上げた液体が完璧に水の味しかしなくてぼくは顔をしかめる。財布の小銭入れを確かめて、レジをふりかえる。あまり混んでいないので、百円玉を数枚持ってレジへいった。

アイスコーヒーおひとつですね、少々お待ちください。レジの女が笑顔で言う。口紅がはげてしまっている。肉まんにかぶりついてもきっとあんの部分には到達できないだろうなあ、と思わせるほど小さな唇である。小さくて、まるくて、中央の部分がぷっくりとふくれている。レジをうち釣銭を取り出す彼女の顔からは笑みが消えて、唇がほんの少し、Oの形に開いている。この唇で彼女は一日にいったい何回、ありがとうございました、を言うんだろう。どんな男がこの小さな唇を吸うんだろう。アイスコーヒーを差し出して彼女はまた唇を広げて笑いかけ、ありがとうございましたと言う。

ひんやりと冷たいグラスを持って席に戻り、ガムシロップを入れストローをさし、べつにアイスコーヒーをもう一杯飲みたかったわけではないとあらためて気づく。ここからでていきたくないだけなのだ。それでもそこにあるものだからぼくはストローから黒い液体を吸い上げる。

ところで最後にキスをしたのはいつだったっけ。キクコとわかれたのが今年のはじめで、わかれぎわなんかキスどころじゃなかったから、去年だ。去年の、たぶん秋ごろ、それが最後のキスだ。もちろんそれは完璧なキスなんかじゃなかった。というか、キクコとは一年半くらいの期間つきあったけれど、完璧なキスなんかいっぺんもなかった。もちろんぼくはキクコが好きだった。いつかきっと完璧なキスができると期待してもいた。ところがキクコはキスよりも性交に比重をおく女だった。キスは独立したものでなく性交への序章であり、ときにはおまけみたいなもので、その重要性について意識したことのない女だった。それでもまあ、ぼくは彼女が好きだった。ぼくのたゆみない陰なる努力で、いつか彼女もキスの重要性に気づくだろうと信じていたし、ぼくがいくらキス主義者だからといって、完璧なキスができない女とはつきあわないと決めているわけではないのだ。でもふられたんだよな。あんた、なんか退屈なのよ、そんな意味のことをキクコは言った。その言葉自体はあんまりショックではなかった。自分が刺激的な男ではないということを、だれよりもぼく自身がよく知っている。だけどなんだか、その言葉を反芻《はんすう》しているうちに、キス好きの変態野郎、と言われた気がしてきて、数週間ひどく落ちこんでいた。飲みたくないのにぼくはアイスコーヒーをすすり続ける。中身は半分ほどになっていて、涼しい場所で冷たいものを飲み続けているわけだから次第に寒くなってくる。文庫本女はさっき席を立った。文庫本をバッグにしまいこみ、グラスをカウンターに戻して店を出ていった。ガラス戸の向こうを通りすぎていく彼女をぼくは見守っていた。ポジティブに、明るい表情で、たくさんの友達に囲まれて、すべての人に好かれて生きていけるといいね、と心のなかで思いながら。隣の席にはまだだれも座らない。

太陽は少しずつでも移動しているんだろうか。ガラス戸の向こうはさっきとまったくかわらずぺかぺかと光り、じつに多くの人々が移動しているが、そのあまりのまばゆさのせいで、時間が停止してしまったように思える。無数の猫が爪をおっ立てて金属板をひっかくような音が聞こえ、隣を見ると、髪をピンク色に染めた女の子がぼくの左に座っている。両耳につっこんだイヤホンから音楽が漏れている。アイス・カフェオレをテーブルに置き、口をつけず、自分の爪に目を落としている。唇をとがらせて憮然《ぶぜん》とした表情を作っている。きっと恋人が約束の時間にこなかったり生理が遅れたりしているんだろう。とがらせた唇は色味がなく、かさついていて、へんな感じにしわが多い。まったく手入れをされていないその唇のせいで、彼女は幼く見える。何色に髪を染めようと、けっして何ものにも染まらないだろう稚拙なかたくなさがうかがえる。

たがいの体に腕をまわした恋人たちが窓の外を通りすぎていく。二人は相手をじっと見て何か話している。向き合った唇がひっきりなしに動いている。

さえちゃんのことを思い出す。そしてさえちゃんとの完璧なキスを思い出す。

さえちゃんとはじめて会ったのはぼくが十九のときだった。さえちゃんは二十歳で、一本主義の女だった。一本主義というのは彼女が使った言葉だ。

目には見えない、強力なゴムで体じゅうを縛られてひっぱられるみたいに、会ったときからぼくはさえちゃんに魅《ひ》かれていた。運命というものを信じる気になったし、赤い糸だの失った片割れだのといった、それまで馬鹿にしていた、曖昧でロマンチックな恋愛解釈も一瞬にして肯定した。それがすべて思いこみだってよかった。思いこみ万歳だった。

さえちゃんは誘うと気軽にどこへでもついてきた。映画館へ、水族館へ、飲み屋へ、ぼくのアパートへ、ラブホテルへ。だからさえちゃんもぼくのことを好いており、つまりぼくらはたがいに求めあっており、世の中でもっとも幸せな部類に入る恋人同士であるとぼくが思いこんだのも無理はなかった。デートにデートを重ねて三か月が過ぎたころ、もうそろそろいいだろうと決断を下し、彼女と性交をしようとしたのだが、彼女は断った。

私、一本主義なの。さえちゃんはそう言った。一本主義というのは、自分が迎え入れるのはたった一人の男の性器だけであるという意味なのだと、大久保のラブホテルでさえちゃんは説明した。何を言っているのかわからなかった。さえちゃんにはつきあっている男がいて、その男としか性交はしない、そう言っているのだとしばらくしてから理解した。ぼくたちはおたがいに求めあってなどおらず、早い話ぼくはふられたのだと、はっきりとショックをうける前にさえちゃんは話し続けた。

浮気をしないってことじゃないの。私は今つきあっている人が自分に最適な人だとは思っていないし、彼のことを好きかどうかもじつはよくわからない。でも彼とつきあうときめたのは自分で、そうきめたからには、自分の主義であるところを守らなければならない。だからあなたと寝るわけにはいかない。さえちゃんはまるいかたちの大きなベッドにうつぶせに横たわり、もそもそとそんなことを言った。

そのときぼくは、はめ殺しの窓のわきにおいてある、ごわごわした手ざわりのソファに座っていて、こちらに向けられたさえちゃんの、妙に白い足の裏を見ながら、その男が好きかどうかわからないのならわかれてしまえばいい、そうしてぼくとつきあって、ぼくの一本だけを受け入れる一本主義になればいいと言った。だってそう言うしかないだろ？

そうかな。そういうことなのかな。さえちゃんはベッドに座り、やけに真面目くさった顔でぼくを見た。それから視線を一ミリたりとも外さず、だいたい自分は好きという気持ちがわからないのだと言い出した。だれかといて楽しいとか楽しくないというのはわかる、その人に会いたいというのもわかる、嫌われたくないという気持ちも味わったことがある、けれどそれは好きとは違う。さえちゃんはそう言った。

そのときぼくが何を考えていたかといえば、心のなかで舌うちをしていた。めんどくせえ、と思っていた。さえちゃんがこんな屁理屈女だとは思っていなかったし、こっちがしらけるほどガードが固いとも思っていなかった。その人といて楽しい、会いたい、嫌われたくない、それが好きだっていうことだよ、そうぼくは言った。

自分もそう思っているのだと、さえちゃんはまるいベッドのスイッチを押して続けた。ベッドはガゴゴゴ、という音をたててゆっくりとまわりはじめる。さえちゃんの足の裏はぼくの目の前から遠ざかり、ふくらんだ尻がまわってくる。だけどそれを好きだという定義にしてしまうと、自分にはそう思える人が十五人ほどいて、その人たちと次々に関係を持っていくとたいへんなことになる、実際自分は十八歳までそういうつきあいかたをしていた。だけど疲労しただけで、しかもかんじんの好きだという気持ちはどんどんわからなくなるばかりだった。だから一本主義というのは、その経験に基づいて自分に課したルールなのだ。一本主義を通していれば いつかきっと好きだという感情が理解できるときがくるに違いない。まわるベッド の上でさえちゃんはそんなことをとつとつと語るのだった。

好きだというのと愛しているというのは違うものであること、一本主義によって 愛が生じるという考えは本末転倒であるということ、あるいは、そのルールさえ守 りたいのなら相手はその男でもぼくでもいいではないかとそんなことまで、誠心誠 意をこめて説明してみたのだけれど、そうしているうち、彼女と今やりたいだけな のか、一定期間彼女の一本になりたいだけなのか、ぼくにもだんだんわからなくな ってきた。そんなことを話しているだけで休憩時間はすぎてしまい、ぼくたちは大 久保のラブホテルを出た。

冬だった。ぼくたちは大久保から新大久保まで歩き、さらに高田馬場まで歩いた。 空は重たく曇っていた。天気予報では雪になると言っていたと、さえちゃんは言っ て空を見上げた。重たく垂れこめた曇り空の、一片一片が雪みたいにはがれ落ちて きそうだったが、水滴の一粒も垂れてこなくて、頭の上だけすべての時間が止まっ てしまったみたいだった。

好きだという気持ちがわからないのだから自分はやるしかないのだと、同じ男とずっとやるのだとさえちゃんは言った。もしくは、膣の内部というのは非常にやわらかくて、同じ男とずっとやり続けていれば赤ん坊の頭みたいにきっとその男にだけ合ったかたちになるような気がする、好きだの愛だのがわからない自分はそうするしかない、馬鹿みたいに思うだろうけれど私はそう信じている。さえちゃんはふいにそんなことを言った。ぼくたちのわきを、黄色い電車が轟音《ごうおん》を残して走り去っていった。

公園を通りすぎた。黒っぽい服を着た浮浪者がベンチで酒を飲みながら何かしきりにしゃべっていた。手にしたワンカップの酒に向かってしゃべっていた。ねえ、チューならいいの？　ぼくは訊いた。情けないことを言っていると自分でも思った。チューならいいよ。さえちゃんは言った。それを聞いてぼくは立ち止まり、さえちゃんの両頰をおさえてキスをした。びっくりするくらいやわらかい唇だった。ぼくは夢中で自分の唇を押しつけ、唇をなめまわし、舌を差し入れてさえちゃんの舌をなめまわし、歯ぐきをなめまわし、唇の内部をなめまわした。さえちゃんはされるままになっていた。めまいがした。へたりこまないようにぼくは薄目を開けた。さえちゃんの肩越しに黄色い電車が走っていくのが見えた。窓に押しつけられて立っている乗客と目が合ったような気がした。

自分の舌が届くかぎりの部分をなめまくって、頭の芯がしびれていくような感覚を味わい、ぼくはもう一度目を閉じた。足の裏にはりついたアスファルトや、電車の轟音や、寒さや、時間を止めたような曇り空や、周囲のものすべてがゆっくりと遠のいていき、次第に、つながっている唇だけを残して自分の体すらも、徐々に消えていくみたいに思えた。ぼくがなめまわしているのは二十歳の女の子の唇なんかではなく、両手でそっとすくいだした、たった一人しかいないだれかの魂であるような錯覚を抱いた。二十年間食べたものすべて、しゃべった言葉のすべて、それらをすべて共有しえたのだとぼくは思い、次の瞬間、ひどくかなしくなった。かなしいという言葉はこういう気持ちをあらわすのだとはっきりわかった。好きという気持ちがわからない。だれか一人を求める気持ちがわからない。性交ということでしかつながりかたを知らない。いや、その性交が何かも知らない。さえちゃんが言った言葉が、彼女の唇を通してぼくの内部にじんわりと浸透していった。

ぼくはあまりの寒さに鳥肌をたてながら、薄まったアイスコーヒーに口をつける。

雰囲気も精神状態もにおいも最悪だったが、あれは完璧なキスだった。髪をピンクに染めた女の子はイヤホンを耳につっこんだまま窓の外を見ている。女の子と母親はいなくなっていて、母親が座っていた席ではずいぶんくたびれたスーツを着た男が背をまるめてコーヒーを飲んでいる。窓の外はあいかわらずきつい陽射しにさらされて、まぶしい光のなかを大勢の男や女が行き来する光景は、安っぽく、どこかものがなしく見える。

ぼくとさえちゃんはそれからもしばらく会っていたが、だんだん疎遠になっていった。今さえちゃんがどうしているのかぼくは知らない。まだ一本主義のままなのか、それとも好きだという気持ちを理解したのか、ときどき知りたくなる。あるいはぼくは、その同じ問いを、自分自身に向けたいのかもしれない。

席を立ち上がる。ピンクの髪の女の子は窓の外をにらみ続け、スーツ男は手帳に視線を落としている。完璧なキスについてぼくが一時間以上も考えていたことをだれも知らない。トレイをカウンターに戻すと、ありがとうございました、と、小さな唇の女の子が声をかける。外はうんざりするくらい暑いんだろう、自動ドアの前で思う。自動ドアが開き、おもての熱気が一気にぼくを包む。鳥肌が一瞬にして消え、陽射しのなかでゆらりと揺れている光景のなかへぼくは足を踏み出す。

海と凧

靴下のたたみかたのことを話しながら言葉外でほかのことを主張する、というような特技を、この二年間で私たちは完璧に取得したように思える。主張するだけでなく、言葉外のことを正確に相手に伝えることもできる。

何も靴下のことでなくてもいい、テレビの主電源のことでもいいし雑誌のまとめかたでもいい。たとえば今は、にんにくの茎のことである。

日曜の、晴れた昼下がりの、通りに面したイタリア料理屋で、私たちは向き合い、窓の外、強烈な陽射しの下を笑いながら歩く数多《あまた》のカップルを横目でちらちらと見やり、八百屋で売っているにんにくの茎は、にんにくそのものから自分たちで栽培できる、いやできない、と話し合っている。にんにくの茎のことを語りながら、私たちはまったく違うことを言下に言っている。ああ、本当に私たちは、笑ってしまうくらい気が合わない、と確認しているのである。

私たちが八百屋で買うにんにくの茎と、普段使う白くまるいにんにくは種類が違うのだと、彼はしつこく説明する。育ててみれば一目瞭然だよ、今度やってみなよ、だいたいにんにくを植え直したところで茎なんか生えてこないから。彼は笑顔さえ作って言うが、私はその言葉から彼の真意を聞き取る。つまり、どうして素直にふうん、と言うことができないんだこの女は。猿の脳味噌程度の知識しかないくせに、だれかが自分よりものを知っていると牙をむいてかかってくるのは、自分が無知だと知っているんだろうな。執念深くて、負けず嫌いで、しかもヒステリック。

ねえでも、おんなじにおいがするわよ、にんにくの茎を実際料理したことあるの？　炒めてるとにんにくとそっくりのにおいがするわよ。私は身を乗り出して言い、他のことを心のなかで叫んでいる。つまり、どうしてなんでも知っていなきゃ気がすまないのだろうこの男は。ペペロンチーノだって作れないくせに、何をえらそうにしゃべっているんだ。だいたい、雑学ばかりくわしくて、実生活にそれが反映されないのはにんにくのことばかりではない。すべてにおいてだ。あたまでっかちで、尊大で、自分が世界の中心である。

けれどそんなことを私たちはけっして口には出さないから、隣のテーブルの老夫婦も、ウエイトレスも、店をちらりとのぞきながら窓の外を歩く若い女も、私たちがひどく仲のよい恋人同士だと思っているだろう。その証拠に、老夫婦の婦人のほうは、私たちの会話の一部を耳にはさんだらしく、ふふふ、と小さく笑っていた。休日をともにすごす、会話の尽きない、ごくごくうまくいっている一組の恋人同士をよそおいつつ、私たちはぞっとするほどしつこく相手を非難している。そしてたがいに、それを完璧に理解している。超能力者並だ。

私たちはとうに料理を食べ終えている。テーブルには、油の浮いた空の皿と、縁に油のついた空のワイングラスがある。窓ガラスの外の景色は、日光に今にも溶け出しそうに揺れている。この場を先に収拾するのは彼の役目である。暗黙のうちに決まっている。

「デザートでも食べていったら？　おれ、床屋にいこうと思ってたんだ、ちょっといってくるから、ゆっくりしてってよ。おれ適当に帰るから」

私はうなずき、食べたくもないがデザートメニュウを広げて見入るふりをする。彼は席を立ち、店を出、窓ガラスの向こうをすたすたと過ぎていく。町のなかを歩く彼は知らない男みたいだ。にんにくの茎のことで私を非難することのできる男には、けっして見えない。

私は折りたたんだ靴下の片方のゴムの部分にはさむかたちで、まるくするが、彼はただ二つに折りたたむ。私のやりかたではゴムが伸びると彼は言うが彼のやりかたではすぐくずれてぐちゃぐちゃになる。彼は洗ったものをすぐにふきんで拭くが、私は自然乾燥で乾かす。鷹の爪を私は手でちぎってフライパンに放りこむが、彼はそれが単なるずぼらだと思っている。私は三日に一度シーツを洗いたいが、ベッドメイクという作業を彼は忌み嫌っている。

いろいろある。数えきれないほどある。しかしこういう違いは、習慣の違いでしかない。習慣の違いならばいつかすりあわせることができる。笑ってしまうくらい私たちが合わないと気づかせるのは、こういった習慣の違いではなくて、皮肉なことに、それらのことを言いながら相手の性質、もしくは存在を責めることができる、私たちのその後天的能力である。結局のところ、そんな特技を身につけたから、たがいの差異を許すことができないのだ。

会計を済ませ、ファッションビルをぶらつき、本屋をのぞいて、家に帰る電車に乗った。電車のなか、私の隣の席で、若いカップルが喧嘩をしていた。女の子が、

CD屋の包みを鞄に入れてほしいと男の子に頼み、自分のに入れろと男の子は主張している。二人とも、斜め掛けした鞄は財布ひとつでぱんぱんになるような小さなものだ。おれのは入んないよ、見ればわかるだろ、おまえ自分のに入れろよ、私のだって入らない、いいじゃん、CD一枚だよ？　一枚なら自分で持ってろよ、何よケチ、あんたって、ほんとうにそういうところ意地悪よね、ばっか、何が意地悪だよ、自分の荷物だろ？　三駅ぶん、電車が私の降車駅につくまで、彼らは延々言い合い、電車を降りて閉まる扉を見守っていると、さらに言い合いを続けながら遠のいていった。

あの子たちはまだ気づいていないんだろう、と思う。自分たちがCDのことを言いながら違うことを相手に訴えていると。許せないのはCDを持ったり持たなかったりすることではなくて、全然違うことなのだと。

彼はまだ帰ってきていなかった。私は冷蔵庫からビールを取り出し、居間の隣の部屋にこもって借りたままになっているビデオを再生する。三時間の大作がエンドロールを流すころ、彼が帰ってきて、何かを冷蔵庫に詰めこみ、おそらくシャワーを浴びるのだろう、脱衣所に向かうのが聞こえた。

彼が風呂場から出てくるころをみはからって、この部屋の扉を開け、彼が切ったのだかパーマをかけたのだかした髪について、何かコメントをすれば、簡単に仲なおりできる。仲なおり、という言いかたがただしいかわからないが、とりあえず、にんにくの茎口論はなかったことにできる。幾度も胸のうちでそうくりかえしながら、私はビデオを巻き戻し、一緒に借りたもう一本をビデオデッキに押しこんでいる。

脱衣所のドアが開き、彼が台所へ向かい、冷蔵庫からビールを取り出しているらしい音を聞きながら、私はビデオの再生ボタンを押し、あたらしく展開される物語に、集中しようと姿勢をただす。

しかし、四角い画面のなかでおこなわれる物語を目で追いながら、私は扉の向こうの物音に耳を澄ましている。七時十二分に彼は買ってきた惣菜を皿に移しはじめる。ラップをかけ、レンジであたためる。胡麻油のにおいが強くただよってくる。きっと中華料理だろう。回鍋肉《ホイコーロー》か茄子の味噌炒め。白米を炊いていないようだからビールを飲むらしい。

食事は済んだのか、一緒に食べるかと彼は私に訊かない。それは私たちのルールだ。

どちらかがこの部屋にこもってビデオを見ていたり、本を読んでいたり、音楽を聴いているとき、いかような事情があっても邪魔はしない、一緒に暮らすとき私たちはまずそう決めた。手をつないでスーパーマーケットに向かいながら、急用の電話のときは？　とか、鍋が噴いているときは？　とか、台所で火事になっちゃったときは？　とか、どうでもいいことをふざけ半分で言い合って、そのルールを確立したのだった。ちなみに急用の電話も鍋が噴いたときも邪魔をしてはだめ、火事のときは扉を開けてビデオを消すなり本をとりあげるなりしても可、という結果におちついた。

私たちのあいだの扉を開けないためのルールを、なぜあんなふうに、一生懸命決めたりしたのだろう。顔を見合わせて笑いながら、汗ばんだ手をふりほどくこともしないで。そうだ、あのときは思いもしなかったのだ、この扉が私たちのあいだで、何か意味を持って閉ざされることがあるなんて。

彼は居間のテレビを見つつだらだらと食事をし、八時過ぎに食べ終えて、その後しばらく酒を飲み、十時には歯を磨いて寝室にいった。私はといえば、九時にはビデオを見終わっていたのだが、髪型、いいじゃない、なんて何気なく言うことがどうしてもできそうになく、なんかいいにおい、回鍋肉？　なんて話しかけても嫌味にとられそうにも思え、そんなことを考えはじめると居間へ続く扉を開けることがどうしてもできず、おもしろくもないテレビゲームをして、彼が眠ってしまうのを待った。

十時に彼が眠ってしまうと、やっとほっとして部屋から出、物音をたてないように玄関を出てビデオ屋に向かう。

昼間はあんなに暑かったのに、夜の空気はしっとりと冷たい。半袖シャツの上に、何も羽織ってこなかったことを後悔しつつ、それでも引き返さずに住宅街を進んで、宣伝看板が路地に白い光を投げるビデオ屋でビデオを返し、住宅街を抜け、焼鳥屋やラーメン屋でまだにぎわっている商店街を歩き、コンビニエンス・ストアでプリンとインスタント・スープを買い、家に戻った。

家のなかは深夜のように静まり返っている。台所は電気が消されていても薄明るい。向かいに酒屋があり、その店の電飾看板が一晩じゅう白く光っていて、それが入りこんでくるのだ。台所の明かりはつけず、その白い光のなか、やかんに火をかけて、私は台所のテーブルにつき、プリンを食べはじめる。半分ほど食べたところで湯が沸き、インスタント・スープを作る。粉末がよく溶けるようかきまわし、ガス台を離れテーブルに戻ると、向かいに彼が座っていたので、驚きのあまり私は小さく悲鳴をあげた。

「何、声くらいかけてよ、びっくりするじゃない」

「そんなに驚かなくても」

パジャマを着て私の向かいに座る彼は笑い、テーブルの上のプリンと、私の持つマグカップを見る。「何、へんな組み合わせ」

「飲む？　つくろうか」

「いや、いいよ」

私は椅子に腰かけ、プリンの続きを食べはじめる。彼は私を見ている。私たちの真ん中に、湯気を上げるスープがある。

「起こしちゃった？　ごめんね」

暗い台所の沈黙に慣れることができず、プリンをスプーンで小さくすくい口に入れながら私は言う。

「いや、眠れなくてさ。なんか飲もうかな」

彼は言って立ち上がり、私を素通りして流しへいき、酒をつくっている。グラスをすべる氷の音がし、重い液体を注ぐ音がする。

「なあ、男の子とはじめてつきあったのっていつ？」

ふいに彼が訊く。

「え？」

質問の意味がよくわからず私はふり向く。

「はじめて恋人ができたのはいつ？　高校生？　大学生だった？」

暗闇のなか、流し台に寄りかかって彼は訊く。

「高校生のとき」

何が聞きたいのか理解できないまま私は答える。

「ふーん。高校一年生？　同級生？」

「高二だった。私女子校にいってたから、違う学校の子。いとこがね、へんな話だけど、いとこが紹介してくれた子。いとことその男の子は、おんなじ学校に通ってて、しかもそれ、私の学校の近所だったから」

「ふーん」

彼は茶色い液体の入ったコップを片手に、ふたたび私の向かいに座る。煙草に火をつけ、ゆっくり吸いこむ。いつもと違う床屋へいったのか、彼の髪がずいぶん短くなっていることに気づく。

「あなたは？」

彼の質問に特に意味はないのだろうと理解して私は訊く。彼の言葉のとおり、ただ眠れないだけなのだろう。

「中学一年のとき。同じ小学校にいってた子で、卒業式の日、つきあおうってことになった」彼はコップの縁をなめ、煙草の煙をゆっくりと吐き出す。

「早熟だね」

「田舎だったから」

「でも中学生のカップルって何するの」

「なんにもしないよ。学校帰りに、近くにたった一軒あったデパートにいったり、本屋いったり、ゲームセンターもなかったしな。あとはただ、歩いたり」

「歩く？」

「うん、田んぼのなかとか、川沿いとかを、ひたすら歩いた」

「へえ」

酒屋がシャッターを閉める音が聞こえる。それが終わってしまうと、部屋は静まりかえる。白い光は相変わらず部屋にさしこんで、コップに添えた彼の手や、切りそろえられた前髪を照らしている。

「きみは、どんなデートをした？」

「デート」私は彼の言葉をくりかえし、マグカップを引き寄せて息を吐く。白い湯気がまっすぐ彼に向かって流れる。暗い台所で私はふいに思い出す。さっき見ていたビデオの画像みたいにくっきりそれは浮かびあがる。「海で、凧揚《たこあ》げした」

「え？」

笑いをかみしめるような、へんな表情で彼は私をのぞきこむ。

「その男の子の学校と、私の学校の中間地点に、海があったの。私の学校の近くには繁華街があったんだけど、私もその男の子も、なんか繁華街とかが苦手で」

「それで凧揚げ？　ビーチで？」

「そう。あ、夏の海を想像してるでしょ？　海水浴の人でごったがえしたような。

そうじゃなくて、私たちがよくいったのは、冬の海。冬の海で凧揚げてたの」

「なんかシュールだな」彼は笑い、

「そうだね」私も笑った。

　その情景はよく思い浮かぶのに、男の子の顔と名前がどうしても思い出せない。無理矢理顔をかたちづくってみれば、それは十六歳だったにきび面のいとこの顔だったり、クラスメイトの恋人の顔だったりした。

「凧ってね、ゲイラカイトとかじゃなくて、もっとオーソドックスな、お正月に揚げるような、歌舞伎俳優の顔が描いてあるような凧なの。そういうのを、ちゃんと揚げるのはむずかしいの。だから、そういうのがいいのよ」

「そんなの、売ってた？」

「長谷《はせ》って知ってる？」

「いや」

「江ノ電知ってるよね、あれの、七里ヶ浜の手前の駅だったかな。長谷に古いおもちゃ屋さんが一軒あって、そこで埃かぶったのがいくつか売ってて」

「へええ、そこで買って、それ持ち歩いてたの？　デートのたび？　制服姿で歌舞伎の爪持って江ノ電に乗って？」

「ううん、埋めとくの」

「え？」

「埋めとくの、浜に」

「埋めるう？」彼は私の言葉をくりかえし、暗い、静まり返った台所には不釣り合いな声で笑う。「埋めてたわけ、爪を？」

「そう、だって持ち歩くのは恥ずかしいし、ああいうのって大きいしさ。冬の海なんて本当に人がいないから、場所決めて、そこに埋めて、それで帰るの。雨が幾日か続いたりすると、だめになっちゃうから、また長谷のおもちゃ屋で買って。私たち、つきあっていたのはほんの数か月で、一冬越えて夏になる前にわかれたんだけど、そのあいだ、しょっちゅう爪揚げてた。長谷の商店街で、コロッケと、あったかいコーヒー買って、七里ヶ浜の駅でそれ食べて、無人駅だったからキセルして駅を出て、浜辺で爪揚げてた、あきずに、ほぼ毎日。最後は、なんとなくうやむやに終わったから、爪も埋まったまま」

　私はあのとき、なぜ自分がその男の子と一緒にいるのかよくわかっていなかった。

自分が好かれているのかどうかも、自分こそその子を好きなのかどうかもわからなかった。ただ、凧を揚げるのはたのしかった。たったひとつの凧をどちらかが持ち、どちらかが糸を持ち、せいの、で凧係は手を離す。糸係は全速力で走る。凧が澄んだ空で安定すると、私たちはぴったりくっついて凧糸をとりあうようにし、ともに空を見上げ、もっと高く揚げようとした。

私はその男の子が、友達の恋人たちのように、ディスコにいったりゲームセンターに入り浸ったりすることが得意ではなくて、よかったと思っていた。なぜ一緒にいるのかわからないまま、私たちは凧を揚げ、疲れると砂浜に座り、ウォークマンのヘッドホンを片耳ずつにつっこんで音楽を聴き、義務をこなすようにこっそりと顔を近づけてキスをした。そうして二人で砂を掘り、凧を埋めて駅に向かった。

クラスの女の子たちと、進学のことや将来について話すとき、毎日のようにデートをするその男の子のことはすっぽり抜けていた。大学生になった自分や卒業式で泣く自分はたやすく思い描けたが、彼とずっと一緒にいるということを私は想像できなかった。いや、ちがう、浜辺で凧を揚げてすごすことと、その時間をともにするあの男の子は、私の時間軸と関係のないところにあるのだった。時間の止まったところに位置しているのだった。

「おれも飲みたくなった」

彼は言って、インスタント・スープの粉末をマグカップに注ぎ、私の背後で湯を沸かす。しゅんしゅんとやかんが音をたてるころ、彼は言った。

「なあ、今度の休み、いってみようか、そこ」

「え、何しに？」

「埋めた冊捜そうぜ」冗談とも本気ともつかない口調で彼が言い、ふりむくと、彼はマグカップを片手に私を見ている。笑っているかと思ったが無表情で、何を考えているのかわからなかった。

「だって十年以上前の話だよ？　見つからないよ」

「見つからなかったらそれでもいいよ、江ノ島でさざえ食って帰ってくりゃいいじゃん。もしくは長谷のコロッケ」

彼はマグカップを吹き、白い湯気は私に流れる。夜は静かで、台所には酒屋の白い光が流れこんでいる。海の底のような場所で、時間軸のねじくれた約束をしている気がした。七歳のときなくしたハンカチを捜しにいこう、とか、五点しかとれなかった数学のテストにもう一度チャレンジしよう、とか。

「晴れるかな」

馬鹿らしい提案だとは思っていたが、私はそう言ってみた。

「暑くなるといいな」

彼は言い、その言葉の奥に、他意はないらしかった。


鎌倉で降りて、江ノ電乗り場に向かい、なぜかとても混んでいる江ノ電に乗りこむころには、けれど私たちはたがいに、やっていることの酔狂さを理解していて、あんまりしゃべらなくなっていた。小さな電車のなかははしゃいだ喧騒で満ちている。小さなこどもを連れた家族連れ、若い恋人たち、老いた恋人たち、山に登るような格好をした中年グループ、それぞれ夢中で言葉を交わす彼らのあいだで、私たちはひっそりと並び、車窓ぎりぎりに迫る家並みを眺めていた。

七里ヶ浜で電車を降りた。ホームに並んで立ち、海を見やる。初夏の海辺にひとけはない。夏と錯覚しそうな陽射しの下で、海水は一枚のガラスみたいにちかちか光っていて、数人がウィンド・サーフィンをしていた。私たちは無言のまま改札を出、海へと向かった。

浜辺に座って、クーラーバッグに入れてきた缶ビールを一本ずつ飲む。私は目を細め、砂浜を走りまわって、懸命な顔で凧を揚げる。制服を着た一組の恋人を、その場に再生しようと試みる。けれどそれはあんまりうまくいかなかった。暗い台所で思い出したようには、思い出すことができなかった。

「覚えてる?」隣で彼が言った。

「あんまり」私は答えた。

「思い出してよ」彼は言った。

簡単に言わないで、と言おうとし、私は言葉を飲みこむ。凧揚げのことを言いながらほかの言葉で相手を攻撃するような喧嘩を、今日だけは避けたいと、なぜか唐突に思った。それで私は滑稽なくらい必死に、目の前に広がる砂浜と、十数年前のそれを重ね合わせ、凧を埋める私たちの姿を思い出そうとつとめた。

私は空き缶をつぶし、その場を離れ、ひとけのない砂浜を歩く。彼は静かに近づいては離れ、水平線は陽の光でかすんでいる。海面をすべるサーファーたちは遠くシルエットしか見えず、孤独な鳥を思わせた。砂浜を歩きながら、あのころの私たちの姿を捜す。

　砂を踏みしめる靴をとおして、重くたれこめたグレイの空や、歌舞伎俳優みたいな凧の顔が、ばらまかれた写真みたいにちかちかと点滅しつつはいあがってきて、紙袋についたコロッケの油のしみ、男の子が首にぐるぐる巻きにした橙色のマフラー、自分の足元の茶色いローファー、そんなものが順繰りに思い出され、ふと顔をあげたときに見える江ノ島の位置と、十六歳だった私が次の日掘り起こすため確認した江ノ島の位置が、そのときぴったりと重なった。

「思い出した」

　私は小さく叫び、記憶のなかの江ノ島と目の前のそれを慎重に重ね合わせて、場所を微調整し、しゃがみこんで砂を掘りかえしはじめた。両手で砂を掘り出すと、砂をつかむ手の感触が、さらに記憶を呼び起こし、あふれるように様々な光景が点滅しては消えていく。男の子のウォークマンと、デビット・ボウイのテープ、ミトン型の私の手袋と、見せ合って笑った期末試験の用紙。そんな他愛ない光景にもっと目をこらすために、私は砂を掻く。掻く。掻く。

「何、何、このへんなの？」

言いながら彼が近づいてきて、

「たぶんそう、そんな気がする」

答えると彼もかがみこみ、私の数メートル先で同じように砂を掘りかえしはじめる。

爪のなかに砂が入りこみ、汗がしたたり落ち、靴が砂に埋まって靴下が砂まみれになっている。私の指先は、ふとなまあたたかさを感じたかと思うと、濡れた砂にいきあたってしまう。

「海水がしみこんでいるところまで掘り起こしたら、そこにはないってことだと思うからもう少し道路側を捜して。でもだいたい、このあたりだから」

私は生真面目な生徒会長のように言い放ち、彼は汗がふきだした顔をあげ、やはり生真面目な副会長みたいに数回うなずいてみせる。私は靴を脱ぎ、靴下を脱ぎ、チノパンツの裾をまくりあげ、位置をかえてふたたび砂を掘る。掘る。掘る。

手先が鈍く痛み、Tシャツが汗で湿って背中にはりつき、足の爪にも砂が入りこむ。腰が痛み、腰を伸ばそうと上半身を起こすと、立ちくらみか、目の前が黒白に光る。

少し離れた位置で彼も腰を伸ばし、靴を脱ぎ靴下を脱ぎ、羽織っていたシャツを脱いでTシャツ姿になり、ジーンズの裾を折ってふたたびちがう場所を掘りはじめる。

男の子の制服の、金色のボタン、なぜかよく彼がはいていた赤い靴下、見せ合った教科書の、落書きされた歴史上の人物、並んで座り、冷めないうちに急いで飲んだ缶コーヒー、両の掌が掘り起こしていくのは砂ではなくていつしか記憶になっている。二人で見上げた凧の角度、曇り空の向こうに光るにせものくさい太陽。私の数メートル先で砂を掘る彼の指先からは、どんな記憶がこぼれ落ちているのだろうと、そんなことを思う。

砂浜に、二人組の男の子が降りてきて、砂浜にいくつも穴を掘っている私たちを興味深そうに見つめ、たがいに衣服を脱ぎ捨てて水着姿になる。オイルをぬり、砂浜にごろりと横たわる。横たわってからもちらちらと私たちを見ては、何か言葉を交わしている。犬を連れて歩く老人も、数分立ち止まって私たちの様子を見守っている。犬が吠え、私と彼は顔を見合わせてなさけなく笑い、ふたたび砂掘り作業に戻る。

爪はなかなか見つからなかった。私たちは不自然なくらいの必死さで爪を捜し続けた。言葉も交わさず、交わすとしたら、そっちのほうにはたぶんないとか、もうすこし沖よりでとか、方向を指し示す会話ばかりで、汗をだらだら流し、Tシャツを汗でびしょびしょにして、腕も足も顔さえも砂だらけにして、砂と格闘していた。

そうしながら、私は幾度か、自分がまだ高校生であるような錯覚を抱いた。制服を着ていて、ついさっきホームルームを終えたばかりで、好きかどうかもわからない男の子と鎌倉駅で落ち合って、昨日埋めた爪を今こうして捜しているかのような。

「なあ、見て」

彼がそう言ったのは、砂を掘りはじめてから二時間ばかりたったころで、頭上にあった太陽は海側へ移動しており、仰向《あおむ》けになっていた男の子たちはうつぶせになっており、犬と老人はとうにおらず、私はへとへとに疲れていた。顔をあげると、彼はフリスビーを手にしていた。真ん中がまるくくりぬかれた、ピンク色の薄べったいフリスビーだった。

「これはきみの埋めたものではないの?」

「フリスビーはしなかったな」

「じゃあ、ほかのカップルが埋めたのかな」

「かもね」

私たちはそのまましばらく見つめあった。どちらもみすぼらしくよごれていた。彼は顔じゅう不精髭だらけみたいに砂まみれで、おそらく私もそんなふうだったろう。しばらく見つめあったのち、どちらともなく笑い出した。彼は笑いながら数メートル後ずさり、いきなりフリスビーを投げてきた。私は犬のように砂浜を走ってそれを受け取る。彼に向けて思いきり投げる。ピンク色のフリスビーはしゅん、と風を切る音をかすかにさせて大きく弧を描きながら飛んでいく。彼はそれを受け取るために走り、自分の掘った穴に足を取られて転び、私たちは声をあげて笑った。

自分たちの掘った穴がそこここにあいた砂浜で、私たちはフリスビーを飛ばしては受け取り、受け取っては飛ばし、ねじが完全に吹っ飛んでしまったかのように、大声をあげて笑った。うつぶせになって裏面を焼いていた男の子たちは、そろそろと顔を見合わせてまた何か言葉を交わしていた。

制服を着た一組の恋人が、凧を揚げる姿がすぐそこにあるように思い浮かんだ。二人でとりあうようにして、凧につながった一本の糸をあやつり、高く、高くと凧を揚げる。男の子の顔を思い出せないのは、だからだ、と私は気づく。私たちは一緒にいながら、たがいを見つめあうことはせず、いつだって同じくらい遠くを見ていた。

いつか、暗い台所でたったひとり、この奇妙な一日を思い出すとき、フリスビーを投げ合った男の顔を、ならばきっと私は思い出せるはずだ。そのとき、私は彼とともにいるか、それともちがう男といるか、それはわからない、わからないけれど、きっと見終えたばかりのビデオみたいに、目の前で笑う、私と向き合う砂まみれの男の笑顔を、交わした言葉を、つねにそこにあった差異を、埋めることのできたものと許すことのできなかったものを、私はくっきりと思い出すことができるだろう。

気がつけば日は水平線に近く、海はできすぎた絵画みたいに金色で、孤独な鳥みたいなサーファーの影が、静止するように海面にいくつも浮かんでいる。

あとがき

ものすごくたくさん夢を見る。それも全部、みみっちい、つまらない、ちいさい夢だ。近所に実在する漬けもの屋に、それも実在する新婚漬けなる漬けものを買いにいく夢だとか、低脂肪牛乳を買ってきて「あ、しまった」と思う（濃厚牛乳が好きなのだ）夢だとか、なくなったと思っていたCDを友達の家で見つけ、でも、それ私のだよね、と言い出せない夢だとか。

これほどちいさい、みすぼらしいほどささやかな夢に、色とにおいと味と、リアルな肌触りがきちんと存在するから、たちが悪い。つまり、現実とごっちゃになってしまうのである。私の現実もまた、そのようにささやかな、みみっちいことのくりかえしなので。

ああ、低脂肪牛乳飲むのいやだな、と思って冷蔵庫を開けたらそんなものはべつになかったり、友達に思いきって「あのCDをかえしてほしい」とメールを書いたものの「なんのこと?」と訊かれたりということは、だから日常茶飯事である。こまったものだ。最近は、かすかではあるが「夢くさい」ことを嗅《か》ぎとれるようになり、夢くさいことどもについては、疑ってかかることにしている。「今度の日曜の約束だけど」と友達に言うまえに、「私と約束したっけ?」と念押しする。まちがいはだいぶ減る。

しかし、記憶となると、もう全部が全部、ごっちゃである。夢も現実も、過ぎ去ってしまえば、どっちがどっちでも大差ないのだ。

昔のことになるが、そのとき私は恋人と自転車を二人乗りしており、たしか、肉だの野菜だのアイスクリームだのを買うために、スーパーマーケットに向かっていた。坂道をのぼっておりて、恋人の肩のむこうに、ピンクと橙《だいだい》と紫とみず色の微妙に入りまじった夕焼け空が見えた。理由なんかまったくないけれど、私はその日そのとき、硬い荷台に座って、ものごとはひとつのこらずうまくいく、うまくいかないはずがないと、多幸感にちかい満ち足りた気分をあじわった。あれはなんだったんだろう。わからないけれど、あのときの「ばっちり」な感じは今でもそのまま思い出すことができる。そのすべてが夢だったとしても。そうして実際すべて夢だったとしても、ぜんぜんかまわない。すぐにでも思い出せるあの気分は、けっして失われない。

恋愛、だとか、友情、だとか、幸だとか不幸だとか、くっきりとした輪郭を持ったものにあてはまらない、あてはめてみてもどうしてもはみでてしまう何ごとかがある。その何ごとかの周辺にいる男子と女子について書いた。それは、夢と現実のごっちゃになった記憶を掘りかえす作業と、どことなく似ていて、物語のなかで彼女や彼が見た、ひまわりや地味な夜景や、黄色い電車や花の咲く野は、いつのまにか私自身のひどく個人的な記憶になってしまった。

もし、この物語のなんでもない光景のひとつが、そんな具合に、読んでくれた人の記憶に、するり、と何くわぬ風情でまぎれこんだらいいな、と願っています。

二年にわたって書く場所をあたえてくださったMOE編集部の位頭久美子さん、単行本化するにあたっては加藤宏子さんにたいへんお世話になりました。ため息が出るほどすてきな装画を書いてくださった酒井駒子さんと、デザイナーの池田進吾さんにも深く感謝いたします。どうもありがとうございました。

二〇〇二年　晴れた春の午後

角田光代

解説──馬鹿

枡野浩一

角田光代のことは、好きになったばかりだ。

会ったのはまだ二度だけ。あまり話をしないように気をつけている。僕は今まで一気に人を好きになりすぎたんじゃないか。そしてあっというまにその人を失ってしまうのだ。

と、そんなことを、吉祥寺東急のそばにある地中海料理の店で僕はさっきからずっと考えている。午後九時半。店はすいている。

ジーンズとかセーターの、ふだん着のカップルが二組いる。気どったデートには向かないくらい店は古びてしまっていて、奥の部屋にまで客がいるのを見たことがない。この店、カップルだと食べるものの選択肢が広がる。というか、二名以上でしか頼めないメニューばかりだ。僕は一人だからパスタを選ぶしかない。サラダとデザート盛り合わせとコーヒーのつくBセットにした。

魚介類の載ったトマト味のスパゲティを口に運びながら顔をあげると、向こうのテーブルに肩幅が広い男の背中が見える。落ち着いた口調で向かいの席の女性に何か話しているけれど話の中身までは聞こえない。自分に足りなかったのは落ち着いた口調だったのかもしれないと思う。肩幅も全然ない。やっぱり女は包容力のある男がいいんだ。角田光代だってきっとそうだと思う。

さっき店のおばさんが皿を持ってきた瞬間、頼んだ和風味のスパゲティではなく、トマト味のスパゲティが来てしまったことに気づいたけれど、何も言わないことにした。結婚していた頃の自分だったら、即座につくりなおしてもらっただろう。でも僕は今ひとりで、元妻は自分で起こした離婚裁判が終わったあと行方をくらましてしまい、もうすぐ四歳になる息子にはあれから会えずにいるのだ。裁判官は僕のことを励ましてくれたけれど、そして僕は裁判で「勝った」らしいのだけれど、結果として彼女を前より怒らせてしまった。こんなことなら負けておけばよかった。トマト味くらい、いくらでも食べてやる。

角田光代と初めて会ったのは、彼女が大きな文学賞をとって、その受賞パーティが豪華なホテルで開催された日だ。僕は招待されていたわけでもないのに、知り合いのつてをたどってもぐりこんだ。二次会にもついていった。二次会の会場は小さな小さな飲み屋で、その中に身動きのとれないほどの人がいた。著名な作家もたくさんいたのに、角田光代に花束を渡す役が突然僕にまわってきた。僕は時々テレビに出たりするから、実際よりも売れている物書きに見えるのかもしれない。

角田さん、最近ファンになりました。と、僕が言ったら店じゅうがわっと笑った。きょうは初めてお目にかかれて嬉しかったです、おめでとうございました。それだけ言って、だれかが買ってきた大きな花束を角田光代に手渡した。最近ファンになりました、のあとに、もっと説明が続くと期待していた人が多かったんじゃないかと、あとで思った。でも僕が言いたかったのは、あれで全部だ。

好きなものは好きなのだ。どう好きだとか、なぜ好きだとか、いくらでも説明はくっつけられるけれど、それはあとから考えたことだ。嫌いになるときも同じ。嫌いになった理由を並べたてても、裁判には勝てない。

遠くの席にいたカップルが立ちあがり、男のほうが会計を済ませる。この店は何時までやってるんですか、と店のおばさんに聞いている。十一時ラストオーダーです。おばさんが少し誇らし気に答えた。僕はそのことを知っていて、晩飯がうっかり遅くなってしまったとき時々ここに来る。吉祥寺は意外と、夜中に食事のできる店が少ない。僕はスパゲティを食べ終え、リュックから角田光代の短編集『だれかのいとしいひと』(白泉社)を取り出す。彼女の本はまだ数冊しか読んでいない。読めばもっと好きになるとわかっているから、少しずつしか読みたくない。店のおばさんが、空になった皿を持っていく。

角田光代は本をものすごいスピードで次々と出す。二度目に飲み会で会ったとき、ご自分で何冊本を出しているか知っていますか、と聞いてみた。知らないです。彼女はにこにこして言った。正確な冊数を答えられたら、がっかりしたかもしれない。ティラミスとプリンとオレンジゼリーです、と言って店のおばさんがデザート盛り合わせとホットコーヒーをテーブルに置く。僕はいつから角田光代を意識し始めたんだっけ。彼女と僕は同世代だ。なので昔から名前だけは知っていた。かつてのイメージは「児童文学で活躍する人」といった感じ。自分は児童ではないし、自分の子供もまだいなかったから、まったく無縁な人だと思っていた。

知り合いの劇作家が角田光代と同じ大学出身で、よく噂話をしていた。あいつ馬鹿なんだよ、と彼はいつもからかう感じで僕に言った。親愛をこめて言っていたんだろうけど。角田光代は馬鹿という意見は、そういえばほかの作家からも聞いたことがある。会ったこともないし作品を読んだこともない角田光代に、馬鹿というイメージがまとわりついていった。

僕はオレンジゼリーが好きなので、それを最後に食べる。角田光代は甘いものが苦手そうだ。酒が好きそうだ。よく知らないけど。なんとなく。

角田光代さんて、クジゴジで仕事してるんだって。同世代の作家が、言いつけるように僕におしえてくれたことがある。朝九時から夕方五時まで、まるでサラリーマンのような規則正しさで仕事をするのだという。それは尋常じゃない、たしかに馬鹿かもしれないと僕は思った。サラリーマンみたいに仕事ができないから物書きになるというのが、ふつうなんじゃないか。

コーヒーは飲んでしまったので水をおかわりする。僕はまた『だれかのいとしいひと』を手にとってみる。絵本好きならおっと思うイラストレーター、酒井駒子が装画と挿画を担当している。感じのいい装幀を手がけたのは池田進吾だ。僕も自分の文庫のデザインを依頼したことがある。角田光代と池田進吾はたしか同い年、僕はその一コ下だ。角田光代のエッセイ集『これからはあるくのだ』（理論社→文春文庫）の装幀が好きで、それで自分の本が初めて文庫化されるとき池田進吾に会いにいったんだった。

そうだ。僕はまず外側から角田光代に興味を持った。角田光代が一緒に組むデザイナーやアーティストは毎回気がきいていて、それがうらやましかった。今をときめく写真家の佐内正史やイラストレーターの１００％ＯＲＡＮＧＥとの共著はだれもがうらやましがるだろうけど、漫画家の三好銀やイラストレーターのコーチ・はじめなんていう、知る人ぞ知る渋い人たちと組んでいるのもかっこいい。センスのいい人なんだな、と気になり始めた。最初に読んだ長編『エコノミカル・パレス』（講談社）の装幀は小田島等だった。次に読んだ長編『愛がなんだ』（メディアファクトリー）の装幀はセキユリヲだった。

考えてみれば、こんなにセンスのいい人が馬鹿なはずがない。そうじゃなくても、なんで作家が馬鹿じゃ駄目なのかと僕は思ってしまう。馬鹿な人には利口な人の考えることはわからないが、利口な人にだって馬鹿な人の考えることはわからないのだから、お互いさまだ。

店のドアがあき、またカップルが入ってくる。今度はかなり年輩。僕は店のおばさんを呼んでコーヒーのおかわりを頼んだ。ファミレスじゃないから有料だけど。ねえねえおばさん、さっきメニューまちがえたんだから、コーヒーおかわりサードスしてよ。などと軽く言えるキャラクターだったら離婚せずに済んだだろうか。でもそんな性格ならそもそも文章を書く仕事なんかやってないと思う。

『だれかのいとしいひと』を最初に読んだとき、これは角田光代が僕のために書いてくれた本かと思った。なにしろ冒頭に収録されている短編が「転校生の会」。僕はいつか『転校生チルドレン』という本を出そうと思っているくらい、転校生だった過去をひきずって生きているのだ。もしかしたら、そのことを告白した僕のエッセイ集『君の鳥は歌を歌える』(角川文庫)を、彼女は読んで参考にしたのかもしれないと興奮した。

二度目に飲み会で会ったとき、さりげないふりでそのことを確認してみたら、角田光代は不思議そうな顔をして、え、転校生だったんですか？　とグラスを片手に言い放った。僕の思いすごしだったらしい。

店のおばさんが新しいコーヒーを持ってくる。向こうの席にいた肩幅の広い男がレジで会計を済ましている。財布を出すのは男ばかりだ。でも角田光代は男におごってばかりいるような気がする。よく知らないけど。なんとなく。

僕はコーヒーに砂糖もミルクもいれる。一口すすってから、馬鹿についてまた考えてみる。

角田光代は二十代で純文学の新人賞をとって作家としてのスタートを切った。今でこそ茶髪でピアスの純文学作家も珍しくないが、当時は非常に肩身の狭い思いをしたのではないかと想像する。服装がふつうにファッショナブルだというだけで、馬鹿と呼ばれてしまうこともあったんじゃないか。文学の世界というのはファッションセンスよりも利口さが競われる場所だから。

きっと、馬鹿馬鹿と呼ばれ続けることにいやけがさしてしまったんだろう。角田光代は児童文学の世界で、まずは頭角をあらわすことになる。そのへんの経緯はよく知らないから僕の妄想だけど。僕とは一歳しかちがわないのにクジゴジで働く角田光代は膨大な数の本を出し、児童文学の賞をいくつもとった。かつては芥川賞候補になったこともあるが、最近は直木賞候補にもなっている。なんか今は活動範囲が広すぎるというか、みんなで角田光代を「あの子が欲しい」とひっぱりあってる感じだ。それは逆にいうと、出版界が「角田光代」の居場所をずっと見つけられずにいたってことじゃないか。大ベストセラーを出したわけでもなく、芥川賞も直木賞もとっていない作家は、いくらクジゴジで働いても、ふつうは生き残れずに消えていくはずだ。角田光代は自力で今のポジションを築いた。馬鹿にはできないことだ。いや、馬鹿が頭につくくらい力がないとできないことだ、と言ってもいい。

僕はまたコーヒーを飲み干してしまい、店のおばさんに水のおかわりを頼む。おばさんではなくて、おじさんが水を足してくれる。夫婦で経営しているみたいだ。

『だれかのいとしいひと』収録の短編の多くは、「MOE」という雑誌に掲載された。童話や絵本などを紹介するビジュアル誌だ。僕は男のくせに中学生高校生の頃「MOE」を愛読していた。角田光代の小説はたくましく、たとえば書評誌「ダ・ヴィンチ」に掲載されていても違和感がない。文芸誌にも小説誌にも載る。角田光代という作家名が特別なブランドになりつつあり、その作品が純文学なのかエンターテインメントなのか童話なのか、もはや区別をいちいち気にする必要すらないくらいだ。

僕は水を飲むのも忘れて、いつのまにか短編「誕生日休暇」を読み返している。初対面の男の奇妙な打ち明け話を旅先で聞くヒロイン、という構図を持ったこの短編を読みながら、角田光代特有の「行きずりの人への想像力」に思いをはせる。なんで彼女は自分ではないだれかの話を、こんなふうに自分のことのように、いとしそうに書けるんだろうと思う。関係ない他人のことなんか、ほっておけばいいのに。どうせ、他人なんだから。

短編「転校生の会」だってそうだ。かつて転校生だった者にしかわからないはずの、転校生という病を、ヒロインはどうにか理解したいとあがく。

「転校を経験したやつとしないやつじゃ、決定的に何かが違う。ぼくが言っていることを、絶対にきみは、感覚的に理解できないと思う。それがいいことだとか悪いことだとかっていうんじゃなくて」

そうヒロインの元恋人は言い切る。まるでいつの日にか僕が言ったセリフみたいだ。

だけどヒロインは思う。〈彼の使った、あたしたちを決定的にへだてる言葉、「絶対」。そんなことがあるのだろうかと、思わずにはいられなかった。これが巷で言う未練なのかもしれないけれど、あたしは「絶対」をどうしても受け入れたくはなかった。〉

ああ、なんて馬鹿なんだろう！　利口な人なら、さっさとあきらめるはず。あきらめが悪いのが、角田光代の描く人物の特徴だ。

それは情が深いということでもあるような気がして、彼らを僕は憎めない。そもそも利口な人ならつまずかないようなことに、ひとつひとつつまずき、しかもあきらめが悪いからこそ、彼らにはドラマがうまれていくのだ。

元恋人の部屋に忘れた、ポスターを盗みにいく彼女。好きになった女友達の、恋人までも好きになってしまう彼女。終わりそうな恋人とのデートに、姪っ子を連れていってしまう彼女。みんなみんな、どこかまちがっている。まちがっていて、僕みたいじゃないか。

オーダーストップになります。店のおばさんが言いにきたので、僕は答える。ごちそうさまでした。

この店は昔、フランス料理屋だった。そのことがわかったのは三度目に来た時だ。店の名前と店構えにどこか見覚えがあり、来るたびに気になっていた。ここって昔から地中海料理の店でした？　僕が聞くと店のおばさんが、最初はフランス料理でした、オープンは三十年前なんです、と言った。

たぶん店がオープンしたばかりの頃、僕は何度かここに来ている。今は赤いギンガムチェックのビニール製テーブルクロスがかかっているけれど、あの頃は白い布のテーブルクロスだった。テーブルクロスに散らばったフランスパンのくずを、金属のへらのようなもので取ってくれるのが面白かった。吉祥寺よりもさらに都心から離れた町に住んでいた。家族で贅沢をしようというときに、時々来ていたのがこの店だったのだ。

毎度ありがとうございます。そう言う店のおじさんに千円札を二枚渡して、おつりをもらう。自分にも子供時代があったという思いを、僕はついどこかに忘れて生きてしまいがちだ。けれど、角田光代の描く、懐かしくて笑ったり泣いたりしたくなるような光景を、僕もたしかに何度か見てきたはずだと思う。

つい最近まで僕が角田光代を読まなかったのは、だれかのことを馬鹿みたいに愛したり、だれかから馬鹿みたいに憎まれたりしたことがなかったからじゃないか。そんな話を、角田さんに今度会ったときにしてみようと考えながら、店のドアをあけて階段をおりる。おもての冷気がゆっくりと僕を包む。

（歌人）

初出

『転校生の会』ＭＯＥ２０００年6月号
『ジミ、ひまわり、夏のギャング』ＭＯＥ２０００年9月号
『バーベキュー日和（夏でもなく、秋でもなく）』ＭＯＥ２０００年12月号
『だれかのいとしいひと』ＭＯＥ２００１年3月号
『誕生日休暇』ＭＯＥ２００１年6月号
『花畑』ＭＯＥ２００１年10月号
『完璧なキス』「ifeel読書風景」第9号（１９９９年夏号）
『海と凧』Switch Special Issue paperback Summer 2001 Vol.2

単行本　２００2年4月　白泉社刊

文春文庫

定価はカバーに
表示してあります

だれかのいとしいひと

2004年5月10日 第1刷
2006年8月1日 第8刷

著 者 角《かく》田《た》光《みつ》代《よ》
発行者 庄野音比古
発行所 株式会社 文藝春秋
東京都千代田区紀尾井町3-23 〒102-8008
TEL 03・3265・1211
文藝春秋ホームページ http://www.bunshun.co.jp
文春ウェブ文庫 http://www.bunshunplaza.com
落丁、乱丁本は、お手数ですが小社製作部宛お送り下さい。送料小社負担でお取替致します。

印刷・大日本印刷 製本・加藤製本
Printed in Japan
ISBN4-16-767202-2

恋愛小説

（　）内は解説者。品切の節はご容赦下さい。

ひるの幻　よるの夢
小池真理子

老作家の許で密かな妄想を紡ぐ秘書、年下の青年の「手」に惹かれる中年女性……。エロスにはさまざまな形がある。禁色のエロティシズムを描いた妖しく艶めかしい六篇。（張競）

こ-29-1

銀河の雫《しずく》
高樹のぶ子

53歳のテレビ局長と45歳のバイオリニスト、45歳の医師と28歳の水泳教師。中年の愛は家族の絆をどう変えるか。愛し、傷つけ、いたわり合う二組の男女を、それぞれの立場から描く長篇。

た-8-7

熱
高樹のぶ子

新聞記者と生物の高校女教師の結婚生活は、夫の不倫で破綻したが、六年ぶりで再会した二人は恋の発熱のように激しく求め合う。現代の究極の愛と官能を追求した問題作。（川西政明）

た-8-8

水脈
高樹のぶ子

別離、再会、愉楽と切なさ。そして死……。水に始まり水に還る官能と夢幻のアクア・ファンタジー。「裏側」「消失」「還流」「節穴」など身近な素材から飛翔した連作十篇。女流文学賞受賞。

た-8-9

センセイの鞄
川上弘美

四十歳目前のツキコさんが偶然、居酒屋で再会した高校の恩師。その歳の離れたセンセイとの、切なく、悲しく、あたたかい恋模様。谷崎潤一郎賞を受賞した大ベストセラー。（木田元）

か-21-3

湖底の森
高樹のぶ子

然別湖の湖底に眠る幻の女性。彼女と英語教師の間に生まれた娘を、わが娘のように育てた元恋人の、深く静かな愛執の年月を描く表題作など大人の愛を奏でる八篇を収録。（道浦母都子）

た-8-11

（　）内は解説者。品切の節はご容赦下さい。

蛇を踏む
川上弘美

女は藪で蛇を踏んだ。踏まれた蛇は女になり、食事を作って待つ……。母性の眠りに魅かれつつ抵抗する女性の自立と孤独を描く芥川賞受賞作。「消える」「惜夜記《あたらよき》」収録。（松浦寿輝）

か-21-1

溺レる
川上弘美

重ねあった盃。並んで歩いた道。そして、ふたり身を投げた海。過ぎてゆく恋の一瞬を惜しみ、時間さえ超える愛のすがたを描く傑作短篇集。女流文学賞・伊藤整文学賞受賞。（種村季弘）

か-21-2

真珠夫人
菊池寛

気高く美しい男爵令嬢・瑠璃子は、借金のために憎しみ抜いた相手のもとへ嫁ぐ。数年後、希代の妖婦として社交界に君臨する彼女の心の内とは——。話題騒然の昼ドラ原作。（川端康成）

き-4-4

貞操問答《ていそうもんどう》
菊池寛

美しい三姉妹の次女・新子は、ある富家の家庭教師として軽井沢の別荘に赴くが、夫人の露骨な侮蔑に遭い……。女同士の舌鋒が冴え渡る、昭和初期の大流行小説、復刊第二弾！（江藤淳）

き-4-5

無憂華《むゆうげ》夫人
菊池寛

古き因縁で敵同士の侯爵家と伯爵家。侯爵の妹、名花と謳われる絢子姫と、伯爵の弟、青年外交官の康貞は、惹れ合うが苛酷な運命に翻弄される。九條武子をモデルとした悲恋小説。（猪瀬直樹）

き-4-6

後日の話
河野多惠子

十七世紀イタリアの町。殺人犯となった男は処刑の直前に若い妻の鼻を食いちぎった！　遺された妻の恐るべき人生。精神的マゾヒズムの極致を描く、美しくグロテスクな物語。（川上弘美）

こ-28-1

恋愛小説

（　）内は解説者。品切の節はご容赦下さい。

彩月 季節の短篇　高樹のぶ子

月日貝、五月闇、夜神楽、寒茜など……季語に触発されながら、愛を巡る揺らぎと畏れを主題に、生命の不思議、稠密な性の交感、人生の哀切を官能的な文章に結晶させた十二の短篇連作。

た-8-12

透光の樹　高樹のぶ子

汲めども尽きぬ恋心と、逢瀬を重ねるたびに増してゆく肉の悲しみ。二十五年ぶりに再会した男女の燃える愛。すべての現実感が消えるほどの〈結晶のような〉物語。谷崎潤一郎賞受賞作。

た-8-13

熟れてゆく夏　藤堂志津子

ホテルで女主人の到着を待つ若い男女。その背後に潜むエゴイズム、孤独感を澄明な文体で彫琢、愛と性のかかわりをさぐり直木賞に輝く優品。「鳥、とんだ」「三月の兎」を併録。（植田康夫）

と-11-1

恋人よ　藤堂志津子

去りゆく男と待つ女。愛人生活に疲れた娘とゲイバーの青年など、様々な愛の行方を鮮やかに捉えた芳醇なロマン。「ありふれた夜に」「緑光るとき」「水にゆらめく」を収める。（東村有三）

と-11-2

女と男の肩書（上下）　藤堂志津子

札幌の銀行に勤める塚本慶子は二十九歳で独身。仕事は有能で上司の信頼は厚く、部下からは慕われる。が不倫に巻き込まれ、会社から社内スパイを要請されたから、さあ大変。（植田康夫）

と-11-3

聖なる湖　藤堂志津子

初夏の休日。年下の愛人と向かう郊外の町には前夫が住んでいた。自立した女性の愛と性の深奥を見つめる表題作他、「琥珀」「もう一人のあなた」など未踏の恋を描く魅惑の八篇。（園田恵子）

と-11-6

（　）内は解説者。品切の節はご容赦下さい。

風と水の流れ
藤堂志津子

離婚して五年、三十歳を目前にした真代に新しい風が吹いてきた。心のままに生きる、それは許されることなのだろうか。現代家庭の中に新しい愛の可能性を探る長篇恋愛小説。（亀山早苗）

と-11-8

あすも快晴
藤堂志津子

美人の親友たちより女のランクは落ちるけど、正直で行動力のある自分を肯定するOL可奈子。円満な結婚生活と、女のプライドの間で揺れる女心をユーモアたっぷりに描く。（大桃美代子）

と-11-9

ひとりぐらし
藤堂志津子

四十歳目前に憧れの男性から求婚されたのに、気乗りがしないのはなぜ——。「ひとり」でいることを選びとる現代女性四人の心模様がリアルに繊細に描かれる恋愛中篇集。（平野恵理子）

と-11-10

彼のこと
藤堂志津子

長身でハンサム、順風満帆の結婚生活を送っていた夫が蒸発した。十二人の女が語る、矛盾に満ちた男の姿。真実はどこにあるのか？　人の心の無限の闇を見つめる長篇小説。（海原純子）

と-11-11

余寒の雪
宇江佐真理

女剣士として身を立てることを夢見る知佐は、江戸で何かを見つけることができるのか。武士から町人まで人情を細やかに描く七篇。中山義秀文学賞受賞の傑作時代小説集。（中村彰彦）

う-11-4

艶（ひかりべに）紅
藤田宜永

生家の祇園の茶屋を出て染織作家となった女。妻子と別居中の競走馬装蹄師。ある雪の日、縁切り寺と呼ばれる安井金比羅宮で出会った二人は急速に惹かれ合っていく——。（槇野修）

ふ-14-5

（　）内は解説者。品切の節はご容赦下さい。

藤田宜永
じっとこのまま
「ルート66」「ラヴ・ミー・テンダー」「アローン・アゲイン」……。懐かしいメロディとともに甦るあの日の思い出。終わりのない男と女の物語を切々と綴る好短篇集。（生島治郎）
ふ-14-1

藤田宜永
巴里《パリ》からの遺言
放蕩生活を送った祖父の足跡を追って僕はパリにやってきた。娼婦館、キャバレー、パリ祭……。70年代の魔都のパルファンを余すところなく描いた日本冒険小説協会最優秀短篇賞受賞作。

ふ-14-2

藤田宜永
求愛
全裸で奏でられるラヴェルの「水の戯れ」は破滅への旋律なのか。心を病んだピアニストの激しい愛を描く、恋愛小説の第一人者の記念碑的長篇。島清恋愛文学賞受賞作。（青柳いづみこ）
ふ-14-3

藤田宜永
ぬくもり
互いの過去に拘泥しながらも、深い関係に堕ちていく中年男女を描く「命日の恋」、別れた恋人の娘との不思議な道行き「天からの贈り物」など大人の恋を活写した五篇。（温水ゆかり）
ふ-14-4

森瑤子
ベッドのおとぎばなし
狡いのは男か、残酷なのは女か、男女の愛に永遠はない。都会に生きるさまざまな男女の束の間の情事を洒落た筆致で捉える刺激に充ちたショート・ストーリー三十四篇。（早瀬圭一）
も-3-3

森瑤子
ベッドのおとぎばなし PARTⅡ
恋は女の必須アミノ酸。これがなくては、生きてはいけない。男と女が出会う。互いの流儀をすばやく読み取り、得意技をかけあう。スリリングなゲームとしての恋を描く洒脱な四十篇。

も-3-4

文春文庫

恋愛小説

（　）内は解説者。品切の節はご容赦下さい。

山田詠美
トラッシュ
黒人の男「リック」を愛した「ココ」。ボーイフレンド、男の昔の女たち、白人、ゲイ……、人びとが織りなす愛憎の形を、言葉を尽くして描く著者渾身の長篇。女流文学賞受賞。（宮本輝）
や-23-1

山田詠美
快楽の動詞
なぜ女は「いく」「死ぬ」なんて口走るのか？　奔放きわまる文章と、繊細緻密な思考で日本語と日本ブンガクの現状を笑いのめす深淵かつ軽妙なるクリティーク小説集。（奥泉光）
や-23-3

吉田修一
最後の息子
オカマと同棲して気楽な日々を過ごす「ぼく」のビデオ日記に残されていた映像とは。爽快感二〇〇％、とってもキュートな青春小説。第84回文學界新人賞受賞作。「破片」「Water」併録。
よ-19-1

吉本ばなな
体は全部知っている
日常に慣れることで忘れていた、ささやかだけれど、とても大切な感情——心と体、風景までもがひとつになって癒される傑作短篇集。「みどりのゆび」「黒いあげは」他、全十三篇収録。
よ-20-1

渡辺淳一
ひとひらの雪（上下）
若いOLである笙子と美貌の人妻の霞。二人のおんなのはざまに漂う中年の建築家・伊織の心のひだ。不倫の愛と悦楽をあますず描いて大ベストセラーとなった評判作。（川西政明）
わ-1-13

渡辺淳一
メトレス　愛人
男が妻子を捨て修子との結婚を決意した時、修子の中の何かが変わった。果して結婚だけが愛の究極の形なのか。経済的、精神的に自立して生きる女性にとって自由な愛とは何かを問う。
わ-1-18